資格が教えてくれたこと

社会保険労務士 林 雄次 著

400の資格をもつ社労士がみつけた
学び方・活かし方・選び方

日本法令®

まえがき

本書の著者、**林雄次**と申します。

現在は社会保険労務士（社労士）を中心とした業務を行う士業事務所を運営していますが、数年前までは会社員として働いていました。その会社は、割とハードな働き方として知られており、またＩＴ関連の仕事であったこともあって、当時は時間的な余裕のない毎日でした。でも自分で好きなことをやりたいと考え、当時既に持っていた社労士資格を活かして副業をはじめました。資格取得で身につけた、効率的な時間の使い方などのノウハウも使い、思いのほか順調に進めることができたため、２年ほどの兼業期間を経て、独立し現在に至ります。

仕事で学んだＩＴもフル活用したことで、事務所は順調に拡大。副業として事業をはじめた２０１８年は、顧客数１０社・売上３００万円ほど。それが翌２０１９年には５倍の１５００万円、さらに２０２０年にはもう3倍の４５００万円と大きくなりました。おかげさまで、その後も堅調に進んでいます。その過程では、社労士資格やＩＴ系資格だけでなく、趣味として取得していたいろいろな資格の幅や組合せが役に立ちました。

こうして、士業として仕事をしながら、趣味と実益を兼ねて資格取得も続けるようになりました。当初は「保有資格が１００を超えて３桁になったら話題になるかな」と思って頑張っていたのですが、勢いがつくと止まらなくなるもので、気がついたら**４００**を超えてしまいました（本書発行時点。２４６頁参照）。さすがに自分が持っている資格を覚えきれなくなりつつあるので、少しペースを落とそうかなとすら思っています（笑）。

単に保有資格の数が多いだけではなく、実際に活かしていることもあってか、最近ではメディアに取り上げていただく機会も増えました。昨年頃から、ビジネス系雑誌での資格特集によく載せていただいています。ＮＨＫや民放のラジオで資格のお話をしたり、ウェブメディアでは連載記事を書いていたりします。

ここで、保有資格についても簡単にご紹介しましょう。すべてお話しすると分量が大変なことになりますので、かいつまんでご紹介します。

もともと、**ＩＴ**のキャリアが長いこともあり、情報処理技術者試験では最難関と言われるシステム監査技術者、ＩＴストラテジストなど、ほぼすべてに合格しています。

また、本業である**士業**関連は、中小企業診断士、社会保険労務士、行政書士に合格し、実際の業務にも就いています。

さらに、宅建士をはじめとした**不動産**系の国家資格では、資格学校や企業での講義も行っています。他にも、防災士やＦＰなど、さまざまな資格が日々の生活に役立っています。

これらのように、直接的に役に立つような資格ばかりではありません。**食べ物**や**お酒**に関する資格は、ちょっとした話のネタになります。ソムリエとして料理に合うワインを選べば喜んでもらえるものですし、おにぎり検定や唐揚検定などは名刺に記載している資格の中でも注目度が非常に高いです。

なお、私が取得・保有している資格のなかで、最も特筆すべき変わったものが「**僧侶**」資格です。これについては本書の第４章にて、取得の経緯からお話しします。

この本は、忙しい日々のなかで効果的に資格勉強を続けるコツ・心構え・テクニックだけでなく、資格を大量に取得したことで人生がどのように変わったかをお伝えしたいと思い、資格勉強の時間の合間を縫って執筆しました。

資格の合否に直結する勉強法のほか、限られた日々の時間を効率よく過ごす時間術など、資格取得から得られた個人的な経験やノウハウなどを、幅広く皆さんへシェアしています。特に、資格試験を受ける前のそもそもの**資格の選び方**や、取得後の**活かし方**についてはあまり語られていないと思いますので、ご注目いただけると嬉しいです。

各項目は数ページと短くまとめており、ちょっとしたときに読めるようになっています。また、ジャンルごとにまとめてありますが、どこから読んでも大丈夫です。まずは目次をご覧いただき、興味のあるところから読んでみてください。

本書の内容には、自分の中では意識せずに行動・実践していることも多く、執筆にあたり改めてそれらをアウトプットするのは、意外に難しいものでした。どうにかそれらをひねり出し、なるべく客観的になるよう、エッセンスを抽出したのが本書です。「私だからできる（できた）」ではなく、「**誰にでもできる**」内容となるよう心がけました。

資格取得を目指す方はもちろん、資格を仕事に繋げたい方には、特に本書を読んでいただきたいと思っています。また、士業をはじめとした、資格を使った仕事を既にしている方にも、なんらかのヒントになるはずです。

最後になりますが、本書を手に取っていただいたことに、お礼を申し上げます。興味を持っていただけただけでも、大変嬉しく思います。本書の１００項目の中には、きっと毎日に役立つ発見があるはずです。そして、本書を読み終わった後には、今までとは違った資格との関係を築いていけるでしょう。

本書が資格取得に興味のある方の背中を押したり、資格勉強中の方の励みになったりするものであれば、こんなに嬉しいことはありません。

令和５年６月

林　雄次

※ **重版での補足**

重版３刷の現在、著者の保有資格は５００を超えました。

目次

第1章 資格を学ぶ前に
資格を使う、考え方

資格の選び方

モチベーション

第2章 資格学習&取得術

時間術

効率的な学習

資格を取った後に

第3章 資格を仕事にする

士業のあれこれ

情報収集&発信術

仕事環境整備術

第4章 僧侶資格からの学び

第1章

資格を学ぶ前に

資格を使う、考え方

01 そもそも資格を取る理由を意識する

本書のテーマである「資格」について詳しくみる前に、そもそも資格を取る理由・動機について、あらためて考えてみましょう。

私の考える、わざわざ資格取得を目指す最大の理由は、「資格は**第三者認証**だから」です。仕事でも学びでも、多くの場合その結果は、会社や学校の中、つまりクローズな場で評価されます。品評会や競技会など、オープンに評価を受ける場合もありますが、そういった機会に恵まれることはそれほど多くありません。それに対して、資格はオープンな場での第三者による評価を、自分のタイミングで選んで受けることができます。

私が初めて資格を取ったのは、中学生のときでした。化学部に入っていて理科系への関心が高まっていた当時の私に、顧問の先生が危険物取扱者の資格取得を勧めてくれたのがきっかけです。興味を持っている分野について学ぶことができ、大人に混じって試験を受けて合格した経験は、成功体験として強く印象に残っています。

たとえ何歳になろうとも、誰かに認められることが嫌いだという人はいないでしょう。合格によって一定の知識レベル等を認証する資格の仕組み自体が、私達のモチベーションを上げてくれるはずです。


もう1つ、資格取得の大きな理由・動機づけとして、「**知的好奇心**を満たしてくれる」ということが挙げられます。これは個人的なものかもしれませんが、私にとって、新しいことを知ることができる勉強というのは、基本的に大きな喜びなのです。放っておいたら、いくらでも勉強してしまうかもしれません。

そんな私にとって、さまざまな世界を見せてくれる上に、形を残してくれる資格取得は、最高としか言いようがないわけです。

いま現在、資格勉強をしているという方にも、それぞれに理由があることと思います。例えば会社での評価・報酬アップというのも、立派な理由・動機です。そもそも資格勉強に取り組む理由を意識する（**自分の軸を持つ**）ことが、勉強への意欲に繋がります。

02

既存の枠組みから外れて オンリーワンの存在を目指す

私は社会保険労務士（社労士）として独立する以前、某大手システムインテグレーション企業で、システムエンジニアをしていました。

当時は就職氷河期で、たとえ大手企業であっても、たしかな安定など存在しない時代でした。そのため私は学生のころから、1つの会社に生涯勤め続ける気はありませんでした。就職後も、これからの時代に1人の仕事人として活躍し続けるためにはどうしたら良いのか、模索する日々を過ごしました。数多くの同僚エンジニアがいる会社において、普通のやり方で仕事している限り、同僚でも担える代替可能な仕事しか担当できません。

そこで私は、社内で**オンリーワンの存在**になることを意識して、エンジニアと並行して、社内講師・営業・企画・マーケティングなどのさまざまな仕事にも挑戦しました。

一般にエンジニアといえば、社内でひたすらモニターと向き合っているイメージがあるところですが、私はあえて「外に出ていく」タイプの、自分らしい新たなエンジニア像を目指したのです。その結果、エンジニアの同僚と同列で評価されるフィールドから抜け出すことができ、会社から「この仕事は林に担当させたほうが良い」といわれるような、他にはいないオンリーワンの社員という評価をされるようになりました。

エンジニア時代にたどり着いたこの生存戦略を、士業（社労士や行政書士など）として開業した今もなお、私は意識し続けています。

士業資格の大半は業務独占資格であり、その資格者でなければ、法律に定められた業務を担えません。そのため、プレイヤーの激しい入れ替わりが起きづらい業界構造となっています。外部から見ると、「士業は安定している」とみられがちです。

ですが、法律で業務の枠組みが規定されているからこそ、ひとたびその枠内に入った後は「同一士業がほぼ同質化してしまう」という問題があるのです。

社労士でいえば、労働問題が得意なのか、年金相談が得意なのかは大きな違いですが、業界外から見ればそれも大した違いではありません。大多数の人にとってはどれも同じ「社労士」であり、できることもほぼ一緒だと思われているものです。

そのような士業の業界においても、オンリーワンの存在となり、同業他者と被らず自分らしいフィールドで仕事をしていくため、私は士業以外のスキル（ＩＴやＤＸの知識であったり、まったく異なる分野の資格であったり）の**かけ合わせ**と、その**ＰＲ**を大切にしています。

なお、士業が「既存の枠組みから外れてオンリーワンの存在を目指す」ことには、価格競争に巻き込まれにくくなるというメリットもあります。

他事務所と変わらないサービスしか提供できないでいると、価格でしか差別化できず、いつしか過度な価格競争に巻き込まれてしまうものです。

一方、オンリーワンの存在となることができれば、事前にこちらのスキルやサービスに価値を見出した上での依頼が大半になります。価値に見合った金額であれば、値下げの必要などありません。むしろ、ある程度の金額に設定したほうが、成果を期待してもらえるということもあります。

03

自分の強みを見つける

あなたは、**自分の強み**を把握していますか？

かくいう私自身も、開業当初は全くわかっていませんでした。そもそも、会社員として勤めているときに求められる「強み」と、会社の外で自由にビジネスをするときの「強み」は、全く異なるものです。後者がいわば真の強みなのでしょうが、会社員経験しかない中で、兼業として自分のビジネスを始めた私には、それを探す方法が全くわかりませんでした。

そんな私ですが、兼業としての開業当初、交流会などで知り合って何度かお会いした方から、私の「強み」についてアドバイスをいただいたのです。それは、「林さんのように『デジタルに詳しい』と『社労士』を両立している人は、いないのではないですか？」というものでした。たしかに、エンジニア兼コンサルタントとして大卒で入社して以来ずっとITに関わっている経験と、アナログな印象が強い士業を両立しているのは珍しいとはいえるでしょうが、当時の私には、このアドバイスは正直あまり響きませんでした。かといって、他に特にアピールできる材料もなかったので、半信半疑ながら「デジタルに詳しい社労士」と言い始めました。この時点での私の認識としては、「こんな組合せ、はたして興味を持つ人などいるのだろうか？」という程度で、全くピンときていませんでした。

ところが、これを言い始めてみたところ、それまでどこからも見向きもされなかった状態とは大違い。世の中から大いに興味を持っていただけるようになり、どんどん仕事が増えていきました。

今では「デジタル士業®」として、この点を前面に押し出すまでになりました。

当時の私自身にとって、デジタルに詳しいというのは、あまりに当たり前な感覚だったのです。息を吸うように、意識すらしない（意識できない、が一層近いかもしれません）ことにこそ、**真の強み**があります。他人には大変なことが、意識せずにできる。それこそが、真の強みなのです。

このように、自分の強みに自分で気づくのは難しいものです。では、どうすれば良いのでしょうか。

簡単なのは、やはり「**人に聞く**こと」です。自分では意識すらしないことが「強み」なのですから、人に聞くのが手っ取り早いのは間違いありません。

とはいえ、聞いたところで私と同じように「ピンとこない」可能性が高いことには注意が必要です。人に聞いた強みは、実際に自分で使ってみたり、別の人に聞いてみたりして試してみましょう。自分だけで判断しないのが重要です。

もう1つ、**「好きなこと」を掘り下げてみる**という方法があります。この方法ならば、自分だけで「強み」を見つけることができます。

得意なことはうまくできるので、決して嫌いではないはずです。むしろ、好きなことが多いでしょう。それを因数分解するように「どこが好きなのか」「なぜか」と掘り下げていきます。このとき、できるだけ客観的な立場で自分の好きなことを掘り下げていきましょう。すると、原因らしきものに気づけるはずです。この原因らしきものが、自分の「強み」である可能性が高いです。

「強み」らしきものを見つけた後は、人に聞いてみるなどして、答え合わせをするとよいでしょう。

04 「出過ぎた杭」を目指す

「出る杭は打たれる」と諺《ことわざ》にもあるように、人と違うことをすることについて、以前は指を刺されるような風潮もあったかもしれません。今は徐々に変わってきている時代ですが、とはいえ環境によっては、まだまだそういった傾向が残る場所もあるでしょう。

私自身は、オンリーワンの存在を目指したり（02参照）、自分の強みを模索したり（03参照）する過程で、批判的に見られることや、それに対して凹むことが、少なからずありました。

皆さんの中にも、一歩踏み出す勇気が持てないという方がいるかもしれません。そんな方に向け、私なりの「出る杭」論をお伝えします。

異 出る杭の段階 その1

「異」とは、異口同音の「異」です。ちょっと周囲と違うことをしていると、まず懐疑的な見られ方をしてしまいますね。私自身「デジタルに強い社労士」を自称し始めた頃は、懐疑的な目を向けられていると感じることがありました。

この段階では、杭で例えるなら数センチの、ちょっとしたズレとして、同調圧力が働きます。まさに「出る杭は打たれる」というのは、このタイミングを言っていると考えています。ここで屈することなく、次に進めばこっちのものです。

差 出る杭の段階 その2

違いがたしかにあるものとして認識され、もはや打たれることのない「差」、違うもの（差異）となった段階です。自身の取組みが一定の成果を出すと、この段階に進むはずです。杭でいえば、数十センチの違いでしょうか。

好意的な見られ方もされ出す一方で、否定的な見られ方も増えるかもしれません。まさに、踏ん張りどころと言えるでしょう。

驚 出る杭の段階 その3

違いが一層大きくなれば、同じ地平にあっても全く違うもの、もう比較対象ではない「驚き」になります。コツコツ頑張って、自分なりの成果が大きく育ち、そう簡単に真似ができなくなればこの段階です。

ここまでくれば、勝負の必要すらないでしょう。この段階に到達する前にやめてしまったり、諦めたりするのは、本当にもったいないと思っています。

なお、ここでもう十分ではありますが、さらに先の段階もあると考えています。

畏 出る杭の段階 その4

いわゆる「神ってる」「コワい」という段階です。もはや同じ地平にない、違う次元にいるようなイメージであり、大物的な存在、畏怖の対象となりました。出る杭でいえば、もう上が見えないくらいの長さの杭です。

いまの自分が「出る杭」として「打たれている」と感じたら、それはその先に行くための第一段階なのです。打ちたい人には勝手にさせておいて、気にせずその先を目指して進みましょう。

05 幅広くインプットする

私は、人前で講演したり、記事を書いたりと、アウトプットが求められる依頼を受けることがあります。このときアウトプットのベースとなるのは、既に自分の中にある知識です。日頃からインプットを心がけ、自分の中にさまざまな知識をストックしておかなければ、アウトプットは残念なクオリティとなります。

人前で話すことや、人に読ませる文章の作成に苦手意識がある人は、アウトプットの前に**インプットの仕方**を見直すことから始めると良いかもしれません。

では、具体的にどのようにインプットをすれば良いのでしょうか。

結論から言うと、「とにかく幅広く、なんでもインプットする」ということに尽きます。

インプットした知識や情報が必要になる場面がいつなのか、正確に予知することなどできませんから、どんなことでも「必要になるかもしれない」という態度で学ぶことが大切です。

私の場合は、例えば前職（大手システムインテグレーション企業）で営業やマーケティング、商品設計に携わっていたときに学んだ知識が、士業事務所の経営においても非常に役立っています。

先日、趣味の資格取得で、「日本化粧品検定」を受験しました。この資格勉強で得た知識は、オンライン会議にて血色の良い顔に見えるよう一工夫したり、セミナー登壇でのコーディネートを考えたりする際に一役買いました。

よく、コスパ（コストパフォーマンス）やタイパ（タイムパフォーマンス）だけを重視して、今後自分に必要となる知識だけを学びたいという人がいるものですが、インプットをする際にコスパの良さを求めてはいけません。対象を絞らず、学んだ知識が役立つ場所を自分の中で変にフレーミングせず、**広くインプットすることが重要**です。

幅広くインプットをしていると、いわゆる「経験効果」により、勉強や情報収集の効率が上がります。特に士業の仕事は知的労働ですから、勉強し続けることがマストです。あえて「勉強しよう」と意気込むのではなく、生活のサイクルの中に勉強や情報収集の時間を組み込み、自然と行動できるレベルにまで落とし込めると良いのです。

私にとって、インプットの時間は既に生活の一部です。アプリを立ち上げて「やろう！」と意気込むのではなく、学ぶ姿勢がＯＳのように常に起動している、そんな状態を維持しています。

私は常に４～５つの勉強テーマを抱えています。それでも少しも止まることなくコンスタントに勉強を続けられているのは、頭の疲労具合を意識して、勉強への取組み方にバリエーションを持たせているからです。人間、１つの物事だけに何時間も集中して取り組むことはできません。次第に脳が疲れてきますから、複数の勉強テーマを持っていると、頭の切り替えができて便利なのです。

さらに、複数の勉強テーマでそれぞれフェーズを変えておくと効果的です。例えば資格試験の勉強であれば、ある資格はインプットに集中するフェーズ、ある資格は問題集をひたすら解けば良いフェーズというように、時間差で勉強するのです。

ひたすら同じ味のパスタを食べるのではなく、定食を食べるように、**インプットではバ**

ランスの良さが肝心です。

06

インプットと日頃の観察で良質なアイデアを出す

インプットする内容については、自分なりの枠組みで要・不要の判断をせず、なんでも知識を習得したほうがよいのは前項の通りです（**05**参照）。しかし、インプットが完了した後では、話は異なります。インプットした知識を活かせる場所・方法がないか、**常にアンテナを張って探す**よう心がけましょう。

そうすることで、街中で目にするものすべてが自分事に感じられるようになり、事務所の事業や活動のアイデアの源泉になります。

例えば、電車の中吊り広告で見たコピーと先日読んだ本のワンフレーズをもとに、自社の新しいコピーが生まれるかもしれません。お店で見かけた商品と自分で勉強していたブランディングの知識が組み合わさって、自社の新商品のアイデアが浮かぶかもしれません。

コピーライティングやブランディングなどの領域は、専門家に依頼することも多いところですが、プロに頼る場合であっても、自分の中に原案や「何となくの理想像」があるのとないのとでは、最終的なアウトプットのクオリティが変わってくるものです。たとえ専門外のことであっても、良いアイデアは常にストックしておくべきですし、日頃の生活の中で「少し注意深く周囲を観察する」ことが大切です。

人類には既に長い歴史があり、今さら「人類初の画期的なアイデア」など、そうそう出てきません。既存の素材を、これまでにない形でかけ合わせることが基本なのです。インプットしたさまざまな知識や情報が、観察のアンテナでキャッチしたなにかと面白い形でかけ合わされれば、新たなアイデアが生まれることでしょう。

そのために、インプットした知識について、頭の中で美しく整理しておく必要はありません。大きな箱の中に、知識や情報をごちゃっと入れておくイメージで大丈夫です。良質なアイデアを生み出すためには、自分の中になるべく多くの素材を置いておくことが大切です。素材を集めるという意味でも、日頃から沢山のインプットをしておきましょう。

07

一期一会のチャンスをつかむ

私は仕事の日も休みの日も、常に身だしなみに気を使っています。いつ、どこで、誰に会うかわからないからです。友人と飲みに行った先で顧問先の社長に会うこともありえますし、近所で買い物をしていたら、仕事で関わりのある人に偶然会うこともあります。士業というものは、自分自身が商品となる仕事です。「今日はいいや」といって服装・髪・顔の手入れの手を抜かずに、**常に臨戦態勢**でいたほうが良いと思っています。

身だしなみと関連して、私は出版された自著と、インタビュー記事が掲載された雑誌も、営業ツールとして常に持ち歩くようにしています。いつ、どこで仕事のチャンスが舞い込んでくるかもわからないからです。

僧侶資格の取得を目指していたとき、この心がけが役に立ったことがあります。

その日は読経の試験だったのですが、たまたま試験官の方と経歴についての話になり、その方が寺院で抱えている課題や今後やりたいことなどを話してくれたため、すかさず書籍と雑誌をお渡ししたところ、「今度ぜひ具体的に相談させてください」という話になったのです。試験日でも変わらずに営業ツールを持っていたことで、意外な形で新たな仕事のチャンスを手にすることができました。

人やチャンスとの出会いは、一《いち》期《ご》一《いち》会《え》です。今日出かけた先でたまたま出会った人が、重要な仕事の依頼主になるかもしれません。「チャンスの女神様には前髪しかない」と言ったりしますが、それをつかめるのは、あらかじめ準備を怠らなかった人だけです。

名刺や自社資料など、何かしらの営業ツールについては、常に持ち歩いておくことを心からおすすめします（営業ツールについては66も参照）。

08

目標達成前に、次の目標を立てる

「○○検定○級合格！」というような目標を立てるタイミングは、いったいいつがベストなのでしょうか。おそらく、ある1つの目標を達成したら、次の目標を掲げるという人が多いことでしょう。

私の場合、「1つの目標に取り組んでいる間に、次の目標を立てる」ようにしています。これは単に私が欲張りだから、というのもあるかもしれませんが、**先の目標を早めに立てる**ことには大きく2つのメリットがあります。

- ●次の目標に早く取り組もうと思い、今の目標に対し一生懸命取り組める（**意欲**）
- ●今の目標を終えた後の燃え尽き防止＆インターバルの最小化（**効率**）

というメリットです。

「二兎追う者は一兎も得ず」なんて言いますが、追わないことには始まりません。追うのは一兎ずつですが、二兎を狙ってみるべきです。

09 学ぶことは、生きること

士業の仕事や、メディア等でのお話など、資格を活用して生活の糧を得ている私にとって、学ぶこと（資格勉強）は生きること（生活）に直結しています。

私の場合はわかりやすいケースでしょうが、これは誰にとっても同じことだと考えています。生きていく上で学びは不可欠です。

太古の昔、狩猟採集の時代から、より良い方法を考えたり、安全な食料や住居の確保について学習（トライ&エラー）してきたからこそ、人類は生きのびてこられました。その裏側では、相対的に学びの少ない、進歩があまりないグループが淘汰されてきたはずです。種として生きていく上で、文字通り「学ぶことは、生きること」であったのです。

もちろん、それが現代でも同じというわけではありません。現代では社会の中で分業・効率化が進み、個人が生きる上で学ぶべきことは狭くなりました。一方で、専門特化が進んだ社会の中で生きていくために、狭くなった範囲を**深く学ぶ必要**が生まれました。その結果で、教育も長期間・専門的に変化し、私たちは仕事のために学ぶようになりました。近現代においても、「学ぶことは、生きること」であることに変わりはありません。

最近では、リスキリングの重要性がよく叫ばれているところです。世の中の変化に対応するためには、これまでの学びの延長だけではなく、**新たな学びも必要**になります。

さらに本書執筆の今、生成型ＡＩが急速に普及・一般化しています。ＡＩが社会にもたらす影響は未知数ですが、なんらかの新しい学びが当然、必要になってきます。

いつの時代にも、学ぶことが常に求められるわけです。それならば、積極的に学んでいったほうが楽しい、というものです。

資格勉強を続けることに疑問を抱いてしまったようなときは、そんな風に考えてみてはいかがでしょうか。

資格の選び方

10 簡単な資格も役に立つ

中小企業診断士、社会保険労務士、行政書士、ＩＴストラテジスト。これらはどれも、ある程度しっかりとした勉強が必要で、難易度が高めの資格です。これらの資格が実生活の役に立つということに、異論はないでしょう。

では、難易度が低い資格は、取得しても意味がないのかといえば、決してそうではありません。

例えば、「整理収納アドバイザー」という、片付け等に関する資格があります。その2

級の講座はわずか１日で修了し、最後に簡単なテストを受けるものの、ほぼ受験者全員が合格します。それだけ聞くと、取っても意味のない資格と思えるかもしれません。

しかし、この資格をきっかけに、大きく成功した方がいます。片づけコンサルタントとして今や世界的にも有名な近藤麻理恵さんは、整理収納アドバイザー２級の取得が原点にあると言います。

これは少々特殊な例かもしれませんが、**資格をどこまで開花させられるか**は、つまるところ自分次第でしょう。

「簡単な資格では意味がない」と主張する人は、その根拠として「業務独占ではない」とよく言います。たしかに、弁護士でなければ裁判を手伝えませんし、社労士でなければ社会保険関係の手続代行はできません。

とはいえ、弁護士になれば、社労士になれば安泰かといえば、決してそうではないのが昨今の世の中です。士業の多くは、全国に同業者が数万人もいて、画一的な魅せ方では簡単に選んでもらえなくなっています。業務独占だけで何とかなる時代は、既に終わっているのです（**02**参照）。

そういった状況だからこそ、簡単な資格に注目してみませんか？

例えば、先ほど登場した「整理収納アドバイザー」と社労士を組み合わせることで、「会社の労務をキレイに整理する社労士」といった肩書きが考えられます。単に社労士というよりもスパイスが効いていて、グッと覚えてもらいやすいのではないでしょうか（13も参照）。

また、自分の趣味や好きなものを表現するのにも、こういった資格が役に立ちます。食べ物やお酒、主要都市や観光地、趣味に関するものなど、資格検定は非常に幅が広いです。好きなことに「資格」「検定」といったキーワードを付けて探してみると、思わぬ発見があるかもしれませんよ。

11 関連資格をまとめて取る

オススメしたい資格の取り方の1つが、関連するものをまとめて取得する手法です。

同じような資格が複数あってもムダになってしまうのでは、と懸念するかもしれませんが、そんなことはありません。むしろ、特定の分野に対する知識や関心を明確に表現することができます。

例として、AさんとBさんが、それぞれ興味のある資格検定を5つ取るとします。

【Aさん】①整理収納アドバイザー、②ダイエット検定、③日本語検定、④情報セキュリティマネジメント、⑤ラーメン検定

【Bさん】①整理収納アドバイザー、②クリンネスト、③オフィス環境診断士、④デジタル整理アドバイザー、⑤ライフオーガナイザー

Aさんは、まとまりがない印象になってしまいます。一方、片付け関連をまとめて取ったBさんには、この分野のスペシャリスト感が出ているのではないでしょうか。

なおかつ、AさんとBさんには、もう一つの大きな違いがあります。取得にかかる時間や勉強量の違いです。

Ａさんのようにバラバラの分野を学ぶ場合、単純に資格５つ分の時間等がかかります。他方、Ｂさんのように近しい分野をまとめて学ぶ場合、基本的な考え方が共通であれば理解がしやすく、知識面でも重複するものは既に知っていることもあるでしょう。つまりラクに取得できるということです。

このように、複数の資格取得をまとめるという手法には、大きな利点があります。私自身この手法で、保有資格を大幅に増やしました。また、名刺やＨＰ等で資格をリストにまとめるときも、関連性を意識することで効果的なアピール材料となるよう心がけています。

12 変わった資格で特徴を出す

ちょっと上級編の資格の選び方かもしれませんが、変わった資格で一気に差別化を図ることもできます。私における「僧侶」資格が典型例です。

ここまでの変わり種ではなくとも、１つ何かの要素を取り入れることで、一気に印象を変えることができます。

特徴を出すためには、できるだけ「遠い位置にある資格」にするのがオススメです。前項の関連資格（11参照）とは逆のアプローチになります。

- **アナログまたは硬いイメージがある仕事に、デジタル関係の資格**

㊟ **社労士＋ＩＴ＝デジタルにも強い社労士（変化に対する柔軟さもアピール）**

- **デジタルなイメージがある仕事に、アナログまたは硬いイメージのある資格**

㊟ **ＩＴストラテジスト＋中小企業診断士＝しっかりした裏付けがあるＩＴ専門家**

この例のように、補完的な関係にある資格が良いでしょう。デジタルとアナログという切り口はあくまで一例ですので、自分なりの軸を探してみてください。

さらに、特徴を大きくするためには、「希少性」も見逃せません。他の人が持っていないような資格検定、ということです。ただ、珍しければ何でもいいわけではなく、あくまで**自分が興味関心を持てる分野をあたる**べきでしょう。

過去を振り返ったりしてみて、どんなことに興味があったか。また、今何か学んでみたいことがあるか。さらには将来について、気になることがあるか。自分の中を探索してみることで、ヒントが見つかるはずです。

このように「遠い」「希少な」資格が組み合わさると、三角形や四角形という形としては同じでも、他にはない自分だけの尖った形が作れることでしょう。自分のオリジナルを作るというのは大変なことでもありますが、楽しんで取り組んでいただきたいと思います。

13
資格の組合せ術「足し算」

最近は、資格を複数保有する「ダブルライセンス」「トリプルライセンス」といわれる方が増えてきました。基本的には1つより、2つ以上保有しているほうが有益ですが、単に数を増やせば良いというものでもありません。複数の資格を活かす場合にも、その組合せ方のパターンを知っておくと良いでしょう。

基本となるのが「**足し算**」のパターンです。これは、増やした分だけ新しいことができるというもの。例えるなら、自分の店舗の隣に、もう1軒新しい店舗を持つような形です。よくいわれるダブルライセンスは、これに該当する場合が多いと思われます。

- **社会保険労務士（入退社手続）＋情報処理技術者（システム開発）**
- **行政書士（許認可手続）＋ファイナンシャルプランナー（家計アドバイス）**
- **中小企業診断士（企業コンサル）＋整理収納アドバイザー（家庭の片付け支援）**

――等々、シンプルにできることが増えるので、仕事に繋がる可能性が広がります。

ただ、このパターンで気をつけたいのは、単に組合せただけでは自分のやることが増えるだけであり、効率が上がるわけではないということ。できれば同じ顧客に複数の価値が提供できるよう、対象の業務を工夫したいところです。この3例では、いずれの場合も同時に資格が活きる場面が少ないですが、組合せや業務によっては、次のように大きく変わってきます。

● 行政書士（ビザ）＋社会保険労務士（入退社）
⬇ 外国人を雇用したい企業に、入国から入社までの手続きにワンストップで対応

● ファイナンシャルプランナー（家計）＋整理収納アドバイザー（片付け）
⬇ 生活全般を見直したい個人に、お金の面と片付けの面からまとめてサポート

● 中小企業診断士（企業コンサル）＋情報処理技術者（システム開発）
⬇ 企業の効率化・DXを一気通貫で支援

このように、足し算でも組合せ方で効果が変わります。顧客目線で組合せを考えると良いでしょう。

14

資格の組合せ術「掛け算」

資格の組合せで私が推奨するのは、この「**掛け算**」のパターンです。足し算と似ていますが、ただ増えるだけではなく、相乗効果を狙うパターンです。足し算が店舗をもう1つ持つようなものであるのに対して、掛け算は「書店×カフェ＝ブックカフェ」のように、新しい形態・価値をつくるものです。

● 社会保険労務士（人事労務）×情報処理技術者（デジタル）

⬇ 働き方のＤＸ支援、ＨＲ関連のシステム開発のアドバイザー

● 行政書士（民事法務）×僧侶（仏事）

⬇ 安心して人生を終えるための寄り添い支援

● 中小企業診断士（企業コンサル）×整理収納アドバイザー（片付け支援）

⬇オフィスを片付けて効率化するスペシャリスト

たとえ「足し算」と同じ資格の組合せでも、提供するサービスや、どんな結果が得られるかを考えることで「掛け算」になれば、希少価値がグッと上がります。そのため、新しい資格を取らなくても、既に保有している資格で、実は価値がある組合せが可能かもしれません。

なお、掛け算パターンのポイントは、同じような組合せが既にあるか（他にいないか）どうかということです。アイデアを思いついたら、インターネット等で調べてみると良いでしょう。誰かが既に同じようなことをしているというのもよくあることです。被ってはいけないわけではありませんが、あまりに人数が多かったりしたら考え直しても良さそうです。

また、掛け合わせるものは資格でなくても大丈夫です。「食品業界で10年以上働いていたキャリア」など、**経験を活かす**ことでもオリジナルの組合せになります。自分の経験というのは、本人にとっては当たり前に感じてしまうものですが、他人にとっては必ずしもそうではありません。自分だけの掛け算を見つけてください。

15 資格の組合せ術「割り算」

資格の組合せで、従来から随所で推奨されてきたのが、この「**割り算**」パターンです。これは足し算や掛け算とは逆のアプローチで、専門性を高めて絞り込んだ中で優位性を築くというものです。足し算は複数店舗、掛け算は新業態に例えましたが、割り算なら「フランス料理本専門の書店」のような専門店といえます。

● 社会保険労務士（人事労務）÷年金アドバイザー（年金の知識）

⬇ 年金分野に特化した社会保険労務士

● 行政書士（民事法務）÷終活アドバイザー（終活）

↓

終活専門の行政書士

● **中小企業診断士（企業コンサル）÷ 情報処理安全確保支援士（セキュリティ）**

↓

企業にセキュリティ面でアドバイスする中小企業診断士

このように、同じ資格者の中での差別化として、専門特化は非常に有効です。士業・資格者の界隈では「○○ならあの先生」と言われる定番の方が必ずいるものです。専門性の力は非常に強いものといえます。

ただし、気を付けるべきポイントもあります。ある程度の絞り込みでは、同じことをしている人が一定程度いるということです。軽い絞り込みでは、掛け算パターンよりもはるかに多くの同業者が、既に同じ割り算で訴求・活動している場合が多いでしょう。これに対抗するには、プラスの要素でさらに絞り込んでいくことが考えられますが、あまり特化しすぎると、こんどは顧客になりうるターゲットが狭く・少なくなるので注意が必要です。

なお、掛け算パターンと同様、絞り込む要素は資格に限りません。自身の経験を活かすことでも、オリジナルの専門性が出せます。専門性を高めつつも、世の中のニーズに目を向けてバランスを取りながら進めていくと良いでしょう。

16
資格の組合せ術「引き算」

資格の組合せは、ここまでに触れた「足し算」「掛け算」「割り算」のように、プラスとなる（自分の強みとなる）組合せだけではありません。ごく限られたケースですが、資格を追加することが**マイナスに働く場合**もあります。あまり語られることの少ないお話ですが、資格を活用した自己プロデュースを考えるにあたっては、知っておくべきです。

適切な例えが難しいですが、いわば「質店に併設した新品ブランド店」のようなものです。同一店舗において、新品と中古品が併存していれば、新品が本当に新品であるのかと疑われてしまい、イメージが低下しかねません（とはいえこの例では、運営上は新品ブランド店の顧客がその後に質店を利用する可能性があるので、そういう意味でプラスの効果もあるでしょう）。

さて、私は社会保険労務士（国家資格）ですが、社会保険労務士には似たような名称の民間資格があります。労働法務士、労務管理士、労働トラブル相談士などです。このような紛らわしい資格を組み合わせたところで、せっかくの国家資格の価値が薄まり、怪しげな印象のほうが強まるといって良いでしょう。そうであれば、たとえそれらの資格を保有していたとしても、「**引き算**」をしたほうが賢明というものです。

●社会保険労務士ー（労働法務士・労務管理士・労働トラブル相談士）

⬇ 社会保険関連の国家資格、スペシャリストとしての社労士資格だけを強調

民間資格の中には、意図的に国家資格と紛らわしい名称を用いているものがあります。中には、似たようなバッジまで作って誤認を誘うような、悪質なものもあるのです。

自分で納得してそういった資格を受けることは否定しませんが、同業をはじめ周囲にどう見られるかは、考えたいものです。

いずれにしろ、資格を受験しようとするときには、どんな組合せになるのかを入念に検討しましょう。

17 資格の探し方

１年間での取得資格が１００を超えることもある私ですが、この世に存在するすべての資格をあらかじめ把握しているわけではありません。次は何を取ろうかなと考えながら、新しい資格を探すことが多いです。

ここでは、私が次に受ける資格試験をどのように探しているか、ご紹介します。

● 資格情報サイト

「日本の資格・検定」(https://jpsk.jp/)のような、資格の情報を集めたサイトで探すのが、多くの人におすすめできる方法です。

内容や試験の形式、日程、費用など、共通の項目でさまざまな資格試験の情報を探すことができます。分類別になっていたりして、同じような資格を比較するのにも便利です。ただし、最新の情報が載っているとは限りません。ある程度の範囲を決めるときに使うのが良いでしょう。

●試験実施サイト

「CBTS」(https://cbt-s.com/examinee/)のように、受験申込みなどを行う試験実施団体のサイトでは、試験の申込み予定や実施内容について、新しい情報を得ることができます。

掲載されている試験は、そこで実施されるものだけとなってしまうので、情報の範囲に一定の制約があるのは仕方ないところです。

試験の申込みや実施形式などが気に入っているところがあれば、一度見てみると、他にも受けたい資格検定が見つかるかもしれません。

●各試験の公式サイト

ほぼすべての資格試験が、公式ページで情報を発信しています。受験したい資格検定がある程度定まったら、詳しい情報は公式サイトで確認しましょう。問題のサンプルなどがあったりして、受検の判断に役立ちます。

言うまでもなく、試験ごとに別のサイトになりますので、さまざまなものを比較するのは少し大変です。

●インターネット検索

自分の興味がある物や分野の名前に「資格」「検定」といったキーワードを付けて検索するのも有効です。あまりメジャーでない資格検定は、資格情報サイトにも載っていなかったりするので、こうして地道に探す以外に見つける方法がありません。

●SNS

各資格検定の公式アカウントがあったり、私のように資格に詳しい人がＳＮＳで情報発信を行っていたりします。公式サイトでは見られない、リアルな受験体験記が見られることも。また、参考になる人をフォローすることで、自分好みの情報が入手しやすくなるのも便利なところです。受験生同士が交流していたりもしますので、独学で勉強する際の励みにもなるでしょう。

以上のように、取得を目指す資格の探し方はさまざまです。場面に応じてうまく使い分けましょう。

なお、資格の情報を探すのは、思いついたそのときすぐに実行するのがベストタイミングです。時間の経過とともに熱意が失われてしまいますし、忘れやすいものです。スマホなどでキーワードを検索することだけでも、すぐやっておくと良いでしょう。

18 体験談は補正して考える

資格を選ぶ際には、飲食店を探すときと同じように、口コミが参考になります。

ただし、人それぞれ状況は異なりますので、口コミをそのまま受け取って良いわけではありません。**誰かの体験談**（合格体験記）については、自分の状況とどこが違うのかを考えて、少し**補正して受け止める**必要があります。

例えば、すでに４００の資格を保有している私が、ある試験について「簡単でした」と言ったところで、それは他の多くの受験者の感想と同じではないはずです（だからこそ私は、情報発信の際、一般的な感覚で発信するように気をつけています）。

私の場合は、およそほとんどの分野について、何らかの予備知識がある状態になっていますので、勉強量が少なくて済みます。これに対して、初めてその資格試験を受ける人にとっては、すべて１から新しく覚えなければなりません。

このように、他人の体験談をそのまま信じてはいけないのです。

自分と同じような立場の人や、同じような立場でありそうな人の体験談であれば、ある程度は参考にして良いでしょう。とはいえ、それでも個人差はあるものですので、複数の人が同じような体験談を発信しているか、確認することをおすすめします。受験者数が多い資格では、この方法が使えます。

一方、受験者数の少ない資格検定や、比較的新しい資格検定では、そもそもわずかな体験談しか見つからない場合もあります。その場合は、たとえ自分と違う状況の方でも、参考にするほかありません。時間に余裕がある人なのか、そうでないのか。既に他の資格などを多く持っているのか、持っていないのか。こういった背景について、自分と異なる部分は補正しましょう。

文字をはじめ、形になった情報というのはもっともらしいので、そのまま信じてしまいがちです。しかし、正しいかどうかは保証されているものではありません。一度自分のフィルターを通してから、受け止めるべきです。

19 ネガティブサーチする

ネガティブサーチとは、マイナス面の情報（ネガティブ情報）を検索することを指す言葉です。筆者は、資格を受けようか検討する段階で、費用や時間がかかるものについては特にネガティブサーチを行います。

ネガティブサーチのやり方は簡単です。資格の名前に「意味ない」「欠点」「デメリット」といった後ろ向きなキーワードを追加して、検索します。

すると、「取ったはいいけど活かせなかった」といった感想が検索結果として表示されてくるはずです。

気持ちが前向きなときになぜ、こんなことをするのでしょうか。それは、前向きなときだからこそ、盲目的になることのないよう注意して、リスク要因も見ておきたいからです。本格的に取り組む前にネガティブサーチをしておかないと、後になって初めてネガティブ情報に接することになりかねません。そこで迷いが生じたり、後ろ向きになってしまったりしたら、それまでの努力がムダになってしまいます。マイナス面のリスクもあらかじめ把握した上で進むことは、**長い目で見るほど大きなプラス**になります。

ネット上のネガティブな感想は、何もかもが正しいというわけではないので、鵜《う》呑《の》みにする必要は全くありません。ただ、そういった人もいるということを知った上で、最終的には自分なりの判断をすることが重要です。

なお、ネガティブサーチは、資格に限らずさまざまな用途に使うことができます。よくあるのが、取引相手などの企業名にて、不祥事などのリスク要因がないかを検索する、信用調査的な使い方です。

他にも、近年では採用の際に応募者の名前を検索して、SNS投稿などを調べるということもあるようです。また、個人レベルでは、買おうと思っている商品について、購入前に念のため調べておくと、壊れやすいなどの欠点を知ることができる場合もあります。

前向きなときこそ、一歩立ち止まって、冷静な判断を心がけましょう。

20 合格率を気にしない

受験する資格を選ぶ際、気になってしまうのが「合格率」です。

合格率は、難易度を表現するのに最適な指標なのかもしれません。とはいえ、合格率の数字をそのまま鵜呑みにするのは考えものです。その合格率が、実態を正しく表しているとは限らないためです。

まず、合格率はそもそも何なのかを確認しましょう。「合格率＝合格者÷受験者」というのが基本と言えます。つまり、受けた人全員のうち、合格した人の割合ということです。

一見、当たり前なのですが、ここに**合格率の罠**があります。

すべての試験に共通するとまでは言いませんが、多くの資格試験において、受験者全員が十分な勉強をした上で試験に臨むかといえば、決してそうではありません。中には「記念受験」などと称して、合格する見込みもないのに受験している人もいるわけです。多少は勉強をしていたとしても、その量・質が十分かどうかは、人それぞれです。合格率の母数となる受験者数には、このようにさまざまな属性の受験者がすべて含まれています。ですから、数字をそのまま鵜呑みにする必要などないのです。

では、合格率をどのように見れば、自分が受験した場合の合格する可能性の指標になるのでしょうか。「人による」と言ってしまえばそれまでですが、私は、受験者を大きく3グループに分けて考えることにしています。

① 十分に勉強してきたグループが全体の3分の1
② 平均的に勉強してきたグループが全体の3分の1
③ 勉強が不十分など、記念受験のグループが全体の3分の1

実際にどうなのかはわかりませんが、仮にこういった分布だとすると、自分が十分に勉強をしておけば、合格率の３倍が「本当の合格率」です。

合格率が低くても、自分自身にそのまま当てはめる必要はありませんので、気にしないことです。せいぜい、参考程度にとどめましょう。

21 わからないのは、当たり前

時々いただくご相談で、「新しいことを学びはじめたものの、わからなくて困っている」と悩んでいる人が、よくいます。

たしかに、スムーズに学習が進まないのは、もどかしいことかもしれません。

ですが、そもそもこの悩み自体、よく考えてみると不思議ではないでしょうか。

これは資格に限らず、学び全般、ひいては仕事などを含めて新しいことに接するときに共通することです。初めて接することがうまくできなかったり、わからなかったりするのは、極めて当然です。なにしろ初めてなのですから。

むしろ、最初から何でもできる、何でもわかるというほうが、不自然ではないでしょうか。資格勉強など、何かを学ぼうとするとき、最初からテキストの内容が何でもわかるということなど、通常は起こらないことです。**理解できないことがあって当然**なのです。何度も読んだり、考えたりして理解してもらうために、テキスト等は存在するのです。

ですから、勉強中によくわからない箇所があったとしても、気にする必要はありません。むしろ、気にして止まってしまうよりも、前に進んでしまいましょう。

少なくとも資格試験の勉強において、絶対に守るべき学ぶ順番などありません。理解しやすい学習の順番というものも、人によって違うはずなのです。わからないままでも前に進んでしまうことで、後に出てくる情報を起点として前の内容が理解できる、といったこともあります。

わからないなりにも読み進めて、何度か繰り返し読んでみることをおすすめします。

22 まず行動することで、やる気が生まれる

「やる気が出ないから、勉強や仕事に取り組めない」というのは、よく聞く話です。では、勉強・仕事で毎日フル稼働している私が、やる気に満ちた日ばかり送っているのかといえば、決してそうではありません。「どうも今日はやる気が出にくい」という日もあるものですが、そこで立ち止まらずに、一歩動くことが非常に重要なのです。

物理学には「慣性の法則」というものがあります。これは、止まっているものは止まったまま、動いているものは動きを続ける、という法則です（現実には空気摩擦があるため、法則通りいきませんが）。動いているものが動き続けることは自然であり、止まっているものが止まり続けているのも自然なこと。そして、一度止まってしまったら、動き出すのに苦労するというわけです。

座ってしまったら立ち上がるのが面倒になってしまったり、休憩をとってしまったら再開が億劫《おっくう》になったりということがありますが、なんだか慣性の法則に似ていますね。

また、心理学には、感情と反応について、2つの考え方があります。

1つは「キャノン＝バード説」というものです。私たちは「悲しいから泣く」のように、感情の後に反応が起きるという説です。やる気がないから行動できない、やる気があれば行動できるのに、というのは、キャノン＝バード説に準拠した言い方なわけです。

もう1つは「ジェームズ＝ランゲ説」です。私たちは何かの拍子に涙が出て、その涙により悲しいという感情になる、という説です。不思議な感じがするかもしれませんが、笑うことで元気になるとか、元気があるようなポーズを取ることでやる気が出るということは、実際にあるものです。

今日は資格勉強のモチベーションが上がらないというときにも、まずはとにかく勉強を始めることでやる気が湧いてきて、それが続くものです。もちろん最初からやる気があれば、それに越したことはありませんが、やる気がないからと止まってしまわず、**少しでも動こうとする姿勢が大切**です。

23 わざと中途半端でストップする

勉強や仕事の区切りは、中途半端であればあるほど、良いと思っています。「キリが良いところまで」と、ちょうどいい区切りまで勉強等を進めるということは、誰しもあることです。これはこれで、「あともう少し頑張る」という意味があり、決して悪いことではありません。

ただ、キリの良いところまで進めてしまうと、そこで腰を下ろしてすっかり休憩モードになってしまうこともあるので、注意が必要です。

それを回避するのが、「**わざと中途半端な箇所で終わらせる**」という作戦です。

テレビドラマが良い例ですが、何か起こる瞬間の手前でCMに入ったり、次回に続く、といった手法がありますね。こうされると視聴者としては、気になって仕方がない状態になって、次回もまた見てしまう。

同じように、中途半端な場所で勉強等を切り上げることで、もう少し先に進めたいという気持ちを残しておけます。さらに、頭の中に残るので、思考が深まったり、アイデアが浮かんだりもします。

資格試験の勉強において、テキストや問題集の区切りというものは、著者や出版社らが決めた、いわば仮のものです。あくまで学習しやすさ等を考慮したものであり、区切り自体に特別な意味があるわけではありません。区切りにとらわれる必要などないということです。

私の場合、毎日並行して、複数の勉強や仕事を進めています。必然的に、１つあたりのタスクに使える時間は短くなりますので、１つの勉強については30分程度までしか行いません。少しずつしか進みませんが、１つずつの印象をしっかり残すことができるというメリットがあります。

これを複数切り替えて行うので、それぞれの勉強が、毎日中途半端な箇所で終わります。隙間時間があればもう少し進めたいと思いますし、気になって翌日に続きを進めるときも積極的な気持ちになるというわけです。

簡単なわりに効果がとても大きいテクニックなので、モチベーションを続かせる工夫として、取り入れてみてください。

24 「明日から頑張る」では、結果は出ない

よく「明日から頑張る」と言ったりしますが、考えてみれば不思議な言葉です。いわば、「今は眠っているけれど、明日になると爆発する時限式のモチベーションがある」と言っているに等しいからです。

世の多くの人がモチベーションをコントロールできずにいるなか、モチベーションを時間単位で簡単に調整できるのなら、その方法を教えてもらいたいくらいです。

私自身も耳が痛い話になりますが、ダイエットが良い例です。「明日から痩せる」（好きなものをガマンする）と言いながら今この瞬間は好き勝手に食べている人が、実際に翌日からダイエットに取り組めた例は、はたしてどれくらいあるのでしょうか。本当に結果を

出したいのであれば、今すぐに行動するのが最善です。明日まで待つ意味などないはずです。

「明日から」と言わず、（少しでもかまいませんので）**すぐ行動することが重要**です。むしろ中途半端でも良い（**23**参照）ので、まず一歩動くことが、次に繋がります。

25

「ちょい足し」で習慣化する

新しい行動を習慣化するのは、簡単なことではありません。勉強や運動など、新しく始めたいことがあっても、身につけられず三日坊主になってしまうものです。人に備わっている「恒常性」という性質があり、これが同じようにあり続けることを良しとするので、新しい行動を取り入れるのは難しいのです。

そのため、新しい行動を習慣化したいときは、この恒常性をうまく利用する工夫が必要になってきます。具体的には、現在の習慣に、新しい習慣を「ちょい足し」するのです。

私の場合、朝起きてリビングでソファーに腰掛けるのが習慣なのですが、そこへ翌朝やりたい勉強道具を置いておきます。こうすることで、自然とテキストを手に取る流れになり、無理なく勉強が習慣化されるというわけです。

なかなか試験勉強を習慣化できないという人は、例えば

- **洗面所に問題集を置いておいて、手を洗うついでに問題を1つ解く**
- **食事の前にテキストを数ページ読む**
- **寝る前に1つキーワードを覚える**

といったように、毎日当たり前に繰り返す習慣に「ちょい足し」をしましょう。

ちょい足しするときは、自分が通る場所にテキストを置いておくなど、**動線上にあらかじめ準備しておく**のがポイントです。

ちょっとだけの勉強に慣れることができたら、あとは勉強時間を長くしていくだけです。

「ちょい足し」を繰り返すうちに、「新しい行動の習慣化」そのものへのハードルも下がってきます。新しい行動をときどき追加することすら当たり前という境地になるのです。そうなればこっちのもの。新しいことなど簡単に始められます。

すぐに大きく変わるのは難しいことなので、まずは「ちょい足し」から始めてみましょう。大事なのは、ちょっとでも始めることです。

26 成果が出るのはゆっくり

勉強や仕事で努力しているのに、なかなか成果が出ないと悩むことがあるものです。

筆者自身も「なかなか成果が出ないな」と思うことはあるものの、思い悩むことはありません。そもそもすぐに成果など出ないと認識しているからです。

デジタル化や効率化が進む近年では、何かとスピードが求められるようになりました。

私自身も、同じ内容なら速いほうが良いという考えは持っています。とはいえ、これは比べるならということであって、人間というものは劇的なスピードで変化できるわけではありません。

勉強等の成果は、それがプラスにしろマイナスにしろ、1日単位では自覚できないような、ゆっくりとしたスピードでしか出てきません。

このことを、ダイエットに例えてお話することが多いです。

●1日1グラムずつ、やせていくか
●1日1グラムずつ、太っていくか

2者の違いは、わずか1日2グラムです。食べ物にしても、ほんの一口以下の差でしかありません。また、毎日の体調で体重測定の結果は多少上下するものですから、そのノイズに打ち消されて、ダイエットの成果は見えにくいものです。

しかし、この違いは確実に蓄積されますので、1年半ほどすれば1キロの差が生まれたりします。日々の変化が見えなくても、少し長い目で見ることが必要なのです（余談ですが、かくいう私自身は、ダイエットにはなかなか成功していません……）。

　意識して努力していれば、日々の成長（学習成果）は、それに応じて大きくなります。たとえ自覚できなくとも、徐々に成果は貯まっていきますので、焦らずに1週間、1か月と、少し期間をおいてから振り返ってみましょう。

27 模擬試験の得点を前向きにとらえる

「模擬試験」と聞くと、それだけで嫌な印象を持つ人も少なくないかもしれません。点数が出て、「本番も大丈夫そう」とか「厳しそう」とか判定されるのは、誰もがプレッシャーに感じるものです。

　点数の良し悪しに一喜一憂してしまいがちですが、私は模擬試験や練習問題の点数の意味を、少し違った形でとらえています。

試験本番では、もちろん合格を目指す必要があります。合格のために、合格に必要な点数以上を取るのは必須です。ただ、それは試験当日のことです。本番までの期間にどれだけ間違えようが、試験の結果には全く影響がありません。むしろ、簡単な模擬試験で満点を取り続けていては、自分の弱点を見つけられないだけで、時間のムダになりかねません。

このように、試験本番と模擬試験を切り離して考えれば、模擬試験で点数が悪いのはむしろラッキーなことと言えます。自分の弱点がそれだけ見つかって、間違えた分だけ今後は点数を伸ばせます。正しい部分については「できたね」という確認だけを行い、**間違えた部分をどれだけ軌道修正するかが重要**なのです。

ですから、特に点数を気にする必要などありません。

関連して、模擬試験を受けるにあたり時間を計測するかどうかについて、私は「計らないで良い」とお伝えしています。これも点数と同じ理屈で、本番では時間制限があるというだけのことなのです。模擬試験は弱点を見つけるためのものですから、焦って取り組んでも意味がありません。悩んでしまうと時間がかかってしまうもので、時間不足が気になるかもしれませんが、中身が理解できてくれば、自然とスピードは上がります。

さらに、時間を気にしないことにはもう１つ、隙間時間でも模擬試験に取り組めるというメリットがあります。ちょっとした時間に少しずつ問題を解けば良いのです。

どうしても不安という人だけ、一度くらい時間を計っても良いでしょう。

勉強でも仕事でも、最終的に結果が出れば、途中がうまくいかなくとも良いのです。むしろ、失敗を積み重ねることで、大きく成長していけるでしょう。

28

試験評論家にならない

難易度が高めの資格検定では、試験に何度も落ち続けるうちに、いわば「試験評論家」のようになっている人を見かけます。試験評論家は、「○年度の第○問でどんな問題があった」などと、過去問等にはやたらと詳しいのですが、試験自体にはいつまで経っても受かりません。こうならないようにしたいものです。

試験自体の仕組みや傾向などに詳しくなることは、試験対策として非常に重要です。ルールを詳しく知らずにスポーツをプレーしないほうが良いように、内容だけでなく仕組みを知るのは大事なことです。

とはいえ、それが目的になってはいけません。ルールだけに詳しくなっても、プレーしなければ楽しくないでしょうし、意味がないのと同じです（スポーツ指導者であれば、人並み以上に詳しいことも有益ですが……）。

資格学校やＳＮＳ上にはさまざまな人がいます。こういった人に、自分なりの**ペースを乱されない**よう気をつけましょう。

29 自分へのご褒美を有効に使う

なかなかモチベーションが上がらないときというのが、誰しもあります。私にもあります。それでも取り組まなければいけないという状況で、私が奥の手として使うのが、**自分へ**

のご褒美です。

まず、ご褒美にはプラスばかりではなく、マイナス面もあることを、あらかじめ自覚しなければなりません。金銭的・時間的なマイナスが生じるのはもちろんですが、なにより、ご褒美がないと動けないようになってしまう場合があるということが、最大のマイナスです。自分へのご褒美は、何度も繰り返し使える手ではなく、あくまで奥の手として捉えるべきです。

さて、どうしてもやる気が足りないとき、ご褒美を使ってモチベーションを上げる方法は２通りあります。

１つは、ここまで進んだら何か食べようとか、何かを買おうといった「**後払い型**」のご褒美です。これは、先に成果を出してからご褒美を出すので、リスクはありません。ただし、そもそもやる気が出ない状況で、後からもらえるご褒美にどこまで影響力があるのかといえば、今ひとつ力不足でしょう。

もう１つは、先にご褒美を買ってしまうという「**先払い型**」です。こちらは、成果が出ていない状況でご褒美を出すというリスクを負うことになります。一方で、やる気が出ない状況をいち早く改善できる可能性もあります。先に入手してしまったことで、もはややるしかないという状況に自分を追い込むことになり、「ご褒美＋プレッシャー」という効果がもたらされます。

では、どのようなものが、自分へのご褒美に向いているでしょうか。

効果的なのは、「欲しいけど高いし、少し先に買おう」と思っていたような、多少痛みを伴う買い物です。それを買ったのだから頑張らなきゃと、しっかり自分を奮起させられる物を選びましょう。

ただし、繰り返しますがコレは奥の手ですので、**いざというときにのみ実行**してください。

30 コツや近道だけを探さない

勉強にしても仕事にしても、なにごとにもコツや近道というものがあります。ですが、最初からそれだけを探そうとするのは考えものです。むしろ、近道どころか遠回りになってしまう可能性のほうが高いように思っています。

私は４００以上の資格を取得してきた実体験から、時間を活用する術や効率の良い勉強法について、ある程度のコツを会得していると思います。仕事（士業）においても、情報発信やブランディングなど、ささやかながら自分なりのノウハウを蓄積してきました。これらはいずれも、一直線に現在地に到達したわけではなく、うまくいかない場面も経験しつつ、**紆余曲折を経て今がある**というだけです。

資格の取得に限っても、受験者それぞれで、スタート地点もゴール地点も、さらにはスタートに立つ段階での状況も異なるはずです。他人が会得したコツや近道がそのまま使えるかといえば、必ずしもそうではありません。むしろ、間違った方向に向かってしまう可能性だってあります。仮にうまくいったとしても、本来得るべき経験をせずに結果だけを得ているのでは、その後にさらなる結果が求められたとき、自分が苦しむことになってしまいます。

地図の読み方やルートの選び方のような基本的なセオリーや、どうしたらうまくいく可能性が高まるかといったヒント・助言については、ときには先人から学ぶのも良いでしょう。私自身も、そういったことは喜んで共有しています（本書もそのようなスタンスで執筆しました）。

一方で、さっさと結果を出したいのでコツだけを教えてくれと言われても、お伝えすることはほとんどありません。そういった人の多くは、私とご自身の状況を補正せず、そのまま鵜呑みにするだけなので、たとえお教えしたところで良い結果など出ないからです。

コツや近道は、自分なりの試行錯誤や紆余曲折を経て、振り返ったときに初めて気がつくものです。そしてコツコツと自分だけで努力することが、最終的に1番の近道になるはずです。

第2章

資格学習＆取得術

小企業診断士　社
政書士　社会福祉
全確保支援士　マ
理業務主任者　宅
貸不動産経営管理
サルタント　国内旅
者　経営士　防災士
種防火管理者　相続
査士　普通自動車
ム監査技術者　ITス
ジェクトマネージャ　IT
ャ　情報セキュリティスペ
ワークスペシャリスト　デ
ャリスト　ソフトウェア開発
報技術者　情報セキュリテ
イパスポート　初級システムア
Microsoft Office S
xpert　Microsoft Office
Vord 365&2019 Expert
ffice Specialist　Excel
xpert　Microsoft Office S
ssociate　Microsoft Office
Vord 365&2019　Microsoft Office
xcel 365&2019　Microsoft Office
owerPoint 365&2019　kintoneカイゼンマ
ート　kintoneアプリデザインスペシャリスト　kinto
.com　aster ADVANCE　.com Master BASIC　パソコン
パソコン整備　定３級　コンピュータサービス技能評価試験（情報セキュリテ
バイザー検定「　ャリスト」WEBライター検定３級　ドローン検定２級　ドローン検定３
級　インターネットにおける　&マナー検定　健康経営アドバイザー　感染対策アドバイザー　ビジネスマネジャー
管理者　人事評価者検定初級　ワークルール検定中級　ワークルール検定初級　緊急時避難誘導員　防災コンシェルジュ　CSR検定４級　e
EEKER　CDA　心理相談員　メンタルヘルス・マネジメント検定Ⅱ種　メンタルヘルス・マネジメント検定Ⅲ種　メンタルケア心理士　メンタルケ
ターケアストレスカウンセラー　青少年ケアストレスカウンセラー　高齢者ケアストレスカウンセラー　企業中間管理職ケアストレスカウンセラー　ケア
ー　こころ検定２級　こころ検定３級　こころ検定４級　心理カウンセリングスペシャリスト　メンタルヘルス・スペシャリスト　メンタルトレーニングスペ
カウンセリングスペシャリスト　コミュニケーションスキルスペシャリスト　マインドフルネスコンサルタント　アンガーバランスマネジメント　心理＆WEBカ
イルドコーチングマイスター　食品衛生責任者　販売士検定２級　販売士検定３級　マーケティング検定３級　実践マーケティング力検定３級　フ
ー資格試験３級　プレゼンテーション検定準２級　プレゼンテーション検定３級　プレゼンテーション検定準３級　SNSリスクマネジメント検定　初
ート検定　クラファン検定　通販エキスパート検定２級　通販エキスパート検定３級　通販エキスパート検定カスタマー・セントリシティ　ファイナン
（AFP）ファイナンシャル・プランニング技能士２級　会計ソフト実務能力検定１級　日商簿記検定２級　日商簿記検定３級　日商簿記検定
定原価計算初級　こどものお金先生検定３級　銀行業務検定CBT DXサポート　生命保険協会一般課程試験　知的財産管理技能士２級
務検定２級　ビジネス実務法務検定３級　ビジネス実務与信管理検定試験３級　ビジネス事務検定　事務スペシャリスト　テレワーク検定　リ
級　在宅ワークスペシャリスト　QC検定４級　秘書検定２級　秘書検定３級　サービス接遇検定２級　サービス接遇検定３級　おもてなし学検
し学検定２級　おもてなし学検定３級　ほめ達検定２級　ほめ達検定３級　ソーシャルマナー３級　マナーインストラクター　判断力検定初級　人
級　人間力徳育検定初級　社会人コンプライアンス検定　社会人ホスピタリティ検定［実践］　社会人ホスピタリティ検定　社会人常識マナー検
識マナー検定３級　マナー・プロトコール検定３級　ニュース時事能力検定３級　ニュース時事能力検定４級　コミュニケーション検定初級　きもの
日本語検定２級　日本語検定３級　日本語検定４級　漢検３級　漢検４級　漢検５級　四字熟語検定１級　四字熟語検定準１級　四字熟
熟語検定３級　四字熟語検定４級　敬語力検定準１級　敬語力検定２級　敬語力検定３級　敬語力検定４級　略語検定１級　略語検定
２級　略語検定３級　ことわざ検定４級　ことわざ検定５級　英検３級　英検４級　みんなの外国語検定　安全運転能力検定３級　安全運転
危険物取扱者（乙種１類）　危険物取扱者（乙種２類）　危険物取扱者（乙種３類）　危険物取扱者（乙種４類）　危険物取扱者（乙種５類
（乙種６類）　危険物取扱者（丙種）　第二級陸上特殊無線技士　第三級陸上特殊無線技士　第二級海上特殊無線技士　第三級海上特
チュア無線（３級）　アマチュア無線（４級）　測量士補　潜水士　PADIアドバンスオープンウォーターダイバー　PADIディープダイバー　PADI
ダイバー　PADIドルフィンスキンダイバー　PADI AWAREサンゴ礁の保護　PADIデジタルアンダーウォーターフォトグラファー　サービス介助士
症介助士　スマート介護士初級　終活ガイド２級　終活ガイド３級　終活ライフコーディネーター　ジェロントロジー・マイスター　ジェロントロジー
コーディネーター２級　共生社会コミュニケーション検定試験　ユニバーサルマナー検定３級　おひとりさま検定　予防医療検定　上級救命技能
初級　ピンクリボン検定入門コース　グリーンリボン検定　リンパケア検定２級　口腔ケアアンバサダー　歯みがき検定マイスター　歯みがき検定１
２級　歯みがき検定３級　メディカルハーブ検定　メディカルハーブコーディネーター　ハーブ＆ライフコーディネーター　ハーブ＆ライフ検定　アロマ＆
、環境カオリスタ検定　ナチュラルビューティスタイリスト検定　スローライフマイスター検定　ラジオ体操指導員　日本健康マスター検定エキスパー
ター検定ベーシック　健康管理検定２級　健康管理検定３級　栄養検定３級　栄養検定４級　食育栄養コンサルタント　食生活アドバイザー３級
トライトサポーター　薬膳・漢方検定　温活検定３級　入浴検定　睡眠健康指導士　睡眠検定１級　睡眠検定２級　睡眠検定３級　睡眠検定
ルタント　ダイエット検定１級　ダイエット検定２級　筋肉のこと知ってますか検定３級　筋トレスペシャリスト　骨格診断アドバイザー検定３級　姿
色彩検定２級　色彩検定３級　色彩検定UC級　色彩士検定４級　パーソナルカラー実務検定３級　美術検定４級　日本化粧品検定３級
コスメマイスター・ライト　スキンケアマイスター　メンズメイク検定３級　整理収納アドバイザー２級　デジタル整理アドバイザー２級　ライフオーガ
け収納スペシャリスト　お掃除プロフェッショナル　掃除能力検定２級　掃除能力検定３級　掃除能力検定４級　掃除能力検定５級　靴磨き知
知識アドバイザー）　サウナ・スパプロフェッショナル　サウナ・スパ健康アドバイザー　サウナエキスパート　温泉健康指導士　温泉ソムリエマスター
の宿おもてなし検定２級　日本の宿おもてなし検定３級　山の知識WEB検定ゴールドコース　山の知識WEB検定シルバーコース　山の知識W
コース　初級バーベキューインストラクター　晴れ男・晴れ女認定試験　日本城郭検定オンライン入門級　世界遺産検定２級　世界遺産検定
定４級　全国道の駅検定　東京シティガイド検定　名古屋観光検定上級　名古屋観光検定初級　京都検定３級　福岡検定初級　軽井沢WE
「お伊勢さん」初級　エイサー検定１級　エイサー検定２級　エイサー検定３級　ハワイスペシャリスト検定中級　ハワイスペシャリスト検定初
SA）料飲サービス検定　ワイン品質鑑定士　ワイン検定シルバークラス　ワイン検定ブロンズクラス　ワインマイスター　ワイン検定３級　ワイン検
定５級　ワインナビゲーター　日本酒スペシャリスト　日本酒検定３級　日本酒検定４級　日本酒検定５級　日本酒ナビゲーター　焼酎検定３級
焼酎検定５級　ウイスキー検定２級　ウイスキー検定３級　カクテル検定３級　カクテルマイスター　日本ビール検定３級　日本茶検定１級　茶道
茶道文化検定４級　料理検定２級　料理検定３級　菓子検定２級　菓子検定３級　チョコレート検定中級　チョコレート検定初級　プレチョコ
検定　すし検定　日本ラーメン検定初級（ラーメニスト）　おにぎり検定（オニギリスト）　唐揚検定（カラアゲニスト）　串カツ検定（串カツマイスタ
・アンバサダー検定　タマリエ検定「一ツ星タマリエ」　あんこ検定　渋沢栄一検定初級　箸ソムリエベーシック　風水＆パワーストーンコンサルタ
か検定　いぬ検定初級　謎解き能力検定７級　レザーソムリエBasic　フォトマスター検定３級　学び直し＆独学アンバサダー検定　集中力検定
検定参級　神社検定初級　聖書検定３級　聖書検定４級　聖書検定５級　葬送儀礼マナー検定２級　日本仏教検定２級　日本仏教検定３
ドバイザー　僧侶　お客様対応専門員（CAP）　予防医療アンバサダー　ねこ検定　システムアーキテクト　健康介護コンシェルジュ　サウナ・スパ健

31 「時間がない」ときはまず、なにかを「やらない」決断をする

新しいことを始めようというとき、多くの人は「時間がない」という壁にぶつかります。仕事や家事、勉強など、やるべきことはいくらでも見つかりますが、私たちに与えられた時間は1日に24時間しかありません。誰だってやれる物事には限界があります。

これは資格取得にも当てはまるので、私が登壇する資格関連のセミナーでは、必ずこのことを伝えています。

資格を取ろうと思い立ったら、まずは時間の使い方を見直して、**やめる行動を決めることから始める**必要があります。大半の人は、仕事や家事などで1日が終わっており、闇雲に勉強を始めようとしてもきちんと時間が取れず、失敗してしまうものです。新たな時間を生みださなければ、新しいことを始めるのは不可能です。

どのような仕事においても、自分が本当にやりたい新しい仕事をやり、自分らしい事業を行っていきたいのであれば、これまでやってきたことを手放し、「やらない」と決断することが、どこかの段階で必要になるはずです。

理屈としては、これまでやっていたことを一切手放さずとも、「これまでやっていたことの精度を高めて、完了までのスピードを上げる」「複数のことを同時にこなせる体制をつくる」といったことができれば、時間的な余裕が生まれるかもしれませんが、現実的ではありません。それが簡単にできないからこそ、日々の時間が足りていないのですから。

これまでやっていたことの中から何かをやめて、時間を生み出すという考え方は、業務改善のフレームワークの中で昔から提唱されています。「ＥＣＲＳの原則」というフレームワークです。ＥＣＲＳの原則の最初の工程「Ｅ」では、Eliminate（排除）を行います。文字通り、不要な業務を捨てるのです。

生産性を向上させるには、何よりもまず「やらなくていいこと」を捨てることが肝心です。

32 仕事・勉強を生活サイクルの一部にする

「気分が乗らない」ということが、私にもあります。

仕事や勉強へのモチベーションが下がってしまうとき、その一番の原因は、「仕事や勉強の理解が追いつかない、進まない」といったことではないでしょうか。私も、仕事でも勉強でも、わからないことにぶつかったり進捗が思わしくなかったりすることがしばしばあります。

私はそのようなとき、「わからない、進まないのも当たり前」と思うようにして、モチベーションを下げないように心がけています（21も参照）。

人間は、コンピュータのようにどんどん新しいデータを入れていける存在ではありません。むしろ、人にはそれぞれ、自分なりの生き方や考え方がありますので、それにピッタリこないものがあって当たり前というものです。わかって当然ではなく、わからなくて当然と考えることで、モチベーションを下げずに済みますし、むしろそれを克服するというモチベーションが上がるというものです。

なお、仕事や勉強について、毎日の生活の一部としてルーティン化してしまえば、モチベーションなど関係なくなります。毎日の洗顔や歯磨きのたびに「よし、がんばるぞ！」とやる気を出したりしないように、仕事や勉強が生活サイクルの一部になってしまえば、いつも淡々とこなせるようになります。

具体的には、「このタイミングで行う」ということを決めて、確実にそこで一定の時間を確保することです。確保する時間の長さは重要ではありません。**毎日一定のタイミングで取り組むことが重要**です。これを繰り返していくうち、徐々に習慣化され、気分に左右されずに済むようになります。

個人的にオススメのタイミングは、やはり「朝」一択です。朝は不確定要素が少なく、毎日同じように時間を確保しやすいからです。

33

朝に勉強して、午前中にクリエイティブな仕事をする

生産性の高い時間の使い方をしたいときは、時間のブロックと、そのときの心身の疲労具合を意識することがマストです。朝、午前、午後、夜という時間のブロックごとに、それぞれどんな性質の仕事や行動に取り組むかを考えると、パフォーマンスが上がります。

以上を前提に、ここではまず朝の時間の過ごし方を考えます。時間の使い方を変えようというとき、真っ先に考えるべきなのが「朝の時間を有効活用する」ことです。

人間の脳は朝起きてから、時間が経つにつれて疲れてきます。深く思考する、企画する、執筆するといったクリエイティブな物事に取り組むのであれば、**朝に取り組むのがセオリー**です。

私の場合も、「朝〜午前中」は執筆したり、資料を作成したり、事業のことを考えたりと、クリエイティブ系の仕事に取り組むようにしています。データ入力やメールの整理のよう

な単純作業は簡単にできるため、眠気の残る朝に取り掛かりたくなるものですが、疲れが出てくる「午後〜夜」ではアイデアを絞り出すのも非常に大変です。ゼロイチで何かを生み出さなければいけない仕事については、頭がすっきりしている午前中こそスムーズに進み、効率的です。

また、趣味であり仕事でもある資格の勉強は、いわゆる「朝活」のように、起きてから仕事を開始するまでの時間に取り組むようにしています。何かを勉強しなければいけないとき、仕事を終えた夜の時間に取り組むという人を見かけますが、私はおすすめしません。夜は疲労がたまっていて覚えが悪いうえ、勉強時間を確保できなくなる不確定要素が多すぎるからです。仕事が終わらず残業してしまったり、複数の予定が押してしまったりすれば、当然に勉強時間が減ってしまいます。**確実に勉強時間を確保するなら朝**が一番です。確実に毎朝同じペースで勉強し続けることで、勉強の習慣化もできてきます。朝の有効活用はメリットしかないのです。

また、朝の時間を日中の仕事の下準備に使うのも、時間術のセオリーです。

私の場合は、朝の勉強と朝食、身支度を終えたら、始業までの間に事務所内メンバーへの指示出しを行います。始業前に必要な指示が出ていれば、各メンバーもその指示をもとに、始業直後からスムーズに仕事を進められます。自分ひとりだけではなく、全体のパフォーマンスも意識して、朝の時間を使いたいと考えています。

このほか私が広くおすすめしたいのが、ＳＮＳ運用を朝時間にすることです。具体的には、朝６時〜９時の間に、Twitter（現X。以下同じ）等にもらっていたメッセージへの返信や、本日の活動に関する投稿などをするのです。Twitterのように予約投稿できるものはその機能も活用しますが、私は朝の時間に勉強しながらＳＮＳのチェックと投稿もしてしまいます。

これは、ＳＮＳがアクティブになる（多くの人がチェックしている）時間帯に合わせるという理由によるものです。一般にＳＮＳがアクティブになるのは、朝６時、昼12時、夕方６時なので、これらの時間帯を狙うと、より多くの方に見てもらいやすくなります（**75**も参照）。

勉強とＳＮＳで、朝の時間はあっという間に過ぎていきます。

私の場合、始業の前にいったん頭をリセットしたいので、ランニングに出て、シャワー等を済ませています。

◇　林の午前のスケジュールの例

6:00　起床
6:05　ＳＮＳ投稿
6:10　ＳＮＳの反応にコメントしつつ、勉強開始（約50分間）
7:00　気分転換に神棚を整えたり、靴や着替えなど、その日の準備
7:10　別の勉強（約50分間）
8:00　ランニング
8:30　シャワー、着替え、朝食
9:00　始業。業務の指示や進捗確認
9:30　落ち着いたら、午前は執筆やセミナー資料作成等のクリエイティブ作業

34

午後に定型的な仕事をして、夜はボーナスステージ

午前中に冴えた頭を使ってクリエイティブな仕事を終えた後は、昼食を取るだけでなく、またＳＮＳのチェック・投稿をします。

その後、午後から夜にかけては、いかに定型的な作業をこなせるかが肝です。

私の場合は、事務作業や打ち合わせを行うようにしています。午前中の疲労度合いによっては、昼食後に昼寝をはさむこともあります。昼寝の効用はよく知られるところですが、やはり少し寝ることで、午後の作業能率はアップすると感じます。

夜は、時間と体力が余っていれば、いわばボーナスステージのイメージで、プラスアルファの勉強をしたり、早めに手を付けておきたい仕事を少し進めておいたりします。勉強でも仕事でも、あくまで「おまけ」の位置付けで取り組むようにしています。心身ともに

疲れている夜、ノルマをこなすのはキツイものです。私の場合は、新たに受験したい資格試験を探したり、その受験申込みをしたりと、夜でもできる簡単な作業をよくやります。

◇林の午後のスケジュールの例

12:00　昼食、SNS投稿
12:30　余裕があれば昼寝、散歩
13:00　午後は打ち合わせ、取材対応、動画撮影等
18:00　夕食、SNS投稿
19:00　昼間に対応できなかったメールやチャットの対応、翌日の準備
20:00　散歩
20:30　余裕があれば資格関係のリサーチや申込み
21:00　就寝準備
21:30　朝の勉強のちょっとした振り返り（寝る前は記憶に定着しやすい）
22:00　就寝

35 週末の午前に集中する、仕事の合間にリフレッシュする

私が本書に記載したような時間術を徹底して行えるようになったのは、会社を辞めて独立してからです。

私は完全に独立する以前、大手企業のエンジニアと兼業して社労士の仕事も行っていました。やはり兼業時代は時間の使い方に苦労することも多く、日夜仕事をしていたように思います。

独立後はすべての時間を自分の裁量で使えることから、より効率的に成果の出せる方法を模索し続けました。その結果、今のような時間のブロックごとに行動を変えるスタイルに落ち着いています。

さて、ここでは週末（休日）の過ごし方をご紹介します。

週末は完全に休むという人も多いでしょうが、個人事務所の士業のような場合、なかな

か完全にオフになることは難しいものです。

かくいう私自身も、週末は何かしらの仕事や勉強をしていることが多いです。特にその午前中は、２～３時間ほどまとまった時間を取って、集中してやらなければいけないことに取り組むようにしています。平日の日中は、顧問先から緊急の連絡が入ったり、社内メンバーからの質問・相談に対応したりすることも多く、なかなか集中を維持するのが難しいからです。ややこしい申請書類の作成や、まとまった原稿の執筆など、特に頭を使いながら行いたい仕事は週末の午前中に行います。


このように仕事と勉強でいつも忙しくしていると、「いつ、どんな風にリフレッシュしているのですか」とよく質問されます。

私の場合、事務所の経営者であるがゆえ、まとまった休みは取れないため、ワーケーションをしたり、仕事と仕事の合間に好きな登山の予定を入れたりと、**仕事の合間を縫って息抜き**をしています。

ワーケーションについては、事務所と個人の仕事を徹底してＤＸ化したことで、できるようになりました。例えば温泉地のような遠隔地で社労士業務ができるのも、業務の効率化・デジタル化に取り組んだ成果です（具体的には拙著『社労士事務所のＤＸマニュアル』（中央経済社、２０２２）を参照）。

またリフレッシュ方法としては、ランニングや山登りが特におすすめです。体を動かし続けることに集中せざるを得ない状態になるため、頭から余計な思考がそぎ落とされ、ある種マインドフルネス（信仰を伴わない瞑想）に近い状態になります。運動後には思考もクリアになり、新しいアイデアが生まれてくるなど、その後の仕事や活動に良い影響が出ます（私は朝のランニングや夜の散歩で思いつくアイデアに、いつも助けられています）。

36 使っている時間を記録する

かくいう私も、当初から今のような時間術ができていたわけではありません。現在のタイムマネジメントにたどり着くまでには、さまざまな試行錯誤がありました。

いろいろと試した中でもやって良かった方法の１つが、「時間の記録をとる」という方法です。

仕事が忙しくなるほど、自分が何に時間を使っているのか（時間がかかっているのか）を客観的に把握し、リソースを再配分する必要が出てきます。客観的な把握には、紙などにその日のスケジュールを細かく書き出すことを、１〜２週間ほど続けてみるのが有効です。何もしていないように思えても、実は誰もが何かしらの行動を積み上げているものです。２週間も自分の時間の使い方を洗い出していると、何らかの傾向が見えてきます。スマートフォンを見すぎていたり、なぜかだらだらとした空白の時間があったりなど、１日の中で改善できるムダが見えてきたら、その解消をすべく行動を起こしましょう。

このとき、これまでの行動を急に変えるのは難しい、と感じる人いるでしょうが、それはいきなり「ずっと継続する習慣をつくろう」として、自分でハードルを上げているからだと思います。何ごとも**小さく始める**のが大切です。まずは今から少しだけ行動を変えてみようという意識で、今日の行動を変えることができれば、次の日もきっと同じように行動できます。明日も同じ行動をやってみよう、また次の日も同じ行動をしようという風に、その日その日の行動にフォーカスすることで、気がつけば習慣が変わっているという状態を作り出せるのです。三日坊主という言葉がありますが、３日続けることができたなら、

0からスタートするより再開がラクなはずです。

さて、使った時間を記録して、新たな習慣づくりに挑む際、一番手軽に始められるのが「カレンダーに丸をつける」という記録方法です。例えば、新たな勉強を習慣化したいのであれば、勉強ができた日はカレンダーに丸を付けるという形で習慣を可視化していくと、その行動を続けやすくなります。

いまは習慣化アプリなども出ていますから、それらを使うのも有効です。

あるいは、その日できたことを箇条書きにして、ノート等にまとめていくのもおすすめです。

どのような方法にしろ、記録をつけていくことで、1日の間でこんなに行動をしていたのかという事実に気がつき、その改善という小さな成功体験を積むことができます。「やらなければいけないこと」ではなく**「やれたこと」を意識する**ことで、自然と習慣化でき、自分への自信につながりやすくなります。

37 隙間時間を活かす

時間の有効活用を考えるときは、隙間時間の過ごし方も重要です。

おすすめなのが、**「隙間時間で取り組むタスクリスト」**を作っておくことです。やらなければならないタスクのうち、行う時刻や締切りが特に設定されていない、細々としたものについて、隙間時間が生じたらいつでも取りかかれるよう、リストアップしておくのです。

私の場合、細かな仕事は平日の各打ち合わせの合間にこなすようにしています。アポとアポの合間には、意外と中途半端な時間があるものですから、リストの中のタスクを思いの外サクサクと片付けることができます。

慣れてくると、リスト化する必要がない状態になります。私の場合も、例えば5分の時間ができたらメールの返信を行うとか、用度品を発注するといった細かな仕事が、自然に思い出されるようになりました。

なお、チャットやメールなどのテキストコミュニケーションは、返信をためてしまうとそれが新たなタスクとなり、さらに労力がかかってしまうので、２～３分で終わる内容であれば即レスすることを徹底しています。その上で、調べてから返信したいなど、返信に一定の時間を要するものや、いつ返信しても問題ない連絡については、隙間時間等に片付けます。

また、忙しい中でもある程度の余裕を持つためには、予定の確認と準備にも工夫すると良いです。私の場合は、これらを前日の朝に済ませてしまいます。

オンライン会議を催すのであれば、前日の朝にZoomの設定を済ませます。外出の予定があれば、やはり前日の朝に持参する資料を印刷します。

このように前もって準備をしておけば、当日はその日やるべきことに１００％集中することができます。当日の朝にバタバタと準備していると、何かを忘れるリスクも高まりますし、気持ちも散漫になってパフォーマンスが下がるおそれがあります。何ごとも早め早めに準備しておいて、損はありません。

38 あえて「余白時間」をつくる

事務所の代表、あるいは個人で仕事をしている士業にとって、引き合いが沢山ある状況は、基本的には喜ばしいものです。

とはいえ、あまりに日々のスケジュールが依頼で埋め尽くされているのも考えものです。

- 日々の繰り返しで思考が凝り固まって、成長しなくなる。
- イレギュラーな案件、緊急な依頼に対応できない。
- 体調不良でも休めない。
- 新しいことにチャレンジできない。

といったデメリットもあるからです。

よく「忙しそう」と思われている私ですが、毎日を過密スケジュールにするようなことはしていません。余白時間を意識して、1日の稼働率を50％未満になるように予定を入れています。具体的には、打ち合わせをなるべく連続させないようにしたり、重要な予定を1日に詰め込みすぎないように意識したりしています。

これは、会社員と社労士業を兼業でやっていた時代の反省からきています。当時は万事が順調にいく前提でスケジュールを設定していました。1人の人間にすぎない私は、工場の生産ラインとは異なり、体調が悪くなることだってあります。ある1つの予定が狂うだけですべてがうまくいかなくなってしまうスケジュールなど、**破綻しているも同然**です。

理想は、午前と午後に1つずつ予定を入れ、あとの時間は予定を入れず、自分がやるべきことに充てることだと思っています。

ただし、士業等として独立・開業の当初においては、一定の売上に到達するまでは仕事を詰めたほうが良いとアドバイスしています。当初から余白ばかりを意識して仕事量を減らすと、士業等としての成長は鈍化するものです。ある程度の売上を達成でき、仕事や時間の効率化を図ったうえで、余白時間も活用すればさらに次のフェーズに進むことができるでしょう。

39 三段階のリフレッシュを意識する

私は仕事の疲れが効果的にリセットできるよう、三段階のリフレッシュ法を意識しています。

● 疲れを翌日に持ち越さない、1日の終わりのリフレッシュ

入浴や睡眠による、1日のルーティン内でのリフレッシュです。つい日々に流されてないがしろにしがちなので、特に強く意識しています（睡眠については40参照）。

● 1週間の疲れから回復する、週末のリフレッシュ

週末の外出や旅行にて気分転換をすることは、意識などせずとも誰しも行っているところでしょう。マッサージや美容院なども効果的です。遊んだり休んだりするだけでなく、平日ではなかなか時間が取れない片付けなど、気がかりになっていることに取り組むのも良いでしょう。

個人的には、空いている平日に日帰り温泉へ行く、ということを時々しています。温泉やサウナでは、新しいアイデアが（それこそ温泉や蒸気のように）湧いてくることも少なくありません。

●強い負担や山場を超えたときの、スペシャルなリフレッシュ

普段やらないような、いつもより高価なスパや鍼を利用するなど、その人にとって特別なケアです。大きな緊張感を伴う仕事の後などに、気の緩みなどから体調を崩さぬよう、特別なリフレッシュ法があれば万全です。

私は週末でのリフレッシュが万全ではないので（**35**参照）、このスペシャルなリフレッシュが本当に大切です。

疲れからの回復も、漫然と休むのではなく、疲れの程度と時間を意識してリフレッシュするのが効果的です。

40 睡眠にこだわる

忙しい中でもおざなりにしたくないのが、健康管理のための時間です。仕事を効率的にこなせるのも、健康な心身があってこそというものです。

健康の源は、やはり十分な睡眠にあります。

私はなにかと忙しい日々でも、**7～8時間の睡眠を確保**するように心がけています。睡眠時間は心身を整えるすべての基礎となるものですから、自分にとって最適な生活サイクルに合わせて、寝やすい時間帯や適切な睡眠時間を見つけたいところです。

よくやってしまいがちですが、夜中のメールチェックはおすすめできません。何か気が重くなるようなメールが入っていれば、それだけで眠れなくなってしまったりして、翌日の体調に響くからです。夜中にできることなど限られていますから、この手のチェック・レスポンスはほどほどにして、割り切って寝てしまうほうが賢明です。

ベストなコンディションを維持するためには、寝具にもこだわりたいものです。私は睡眠への投資は惜しまないほうが良いと考えています。

　私がいま使用しているのは、枕専門店ピロースタンドイプノスのオーダーメイド枕と、世界的に有名なシモンズのベッドです。それなりに高額の出費ではありましたが、睡眠の質が上がり、日頃の体調も整いやすくなったように感じています。

健康を損ねるのも大きなコストになります。健康管理にまつわる時間と出費は、必要な投資と捉えると良いでしょう。


　また、睡眠以外の休息についても、いろいろ試してみるべきです。

　私も健康に良いとされるものは一通り試しており、仕事の合間を縫って整体や鍼灸院などに通っています。自分の体の調子を整える方法がわかっていれば、例えば仕事のスケジュールが詰まっている週などに、予防的に体をメンテナンスする予定を入れたりできます。温泉やサウナが好きな人であれば、温泉地でワーケーションをしてしまえば、体をメンテナンスしながら仕事もこなせる、一石二鳥のスケジュールができあがります。

　余談ですが、私は睡眠やサウナ・スパにまつわる資格も、いくつか保有しています（巻末の保有資格参照）。

41 余裕を持って日々過ごせる「3日ひとまとめ法」

あなたは、日々を過ごすにあたり、どんな時間軸（単位）を持っていますか？

自覚しているかどうかはともかく、多くの人は、1時間、半日、1日、1週間といったキリのいい単位をベースに、スケジュールを立てることが多いかと思います。

私がおすすめしたいのは、3日を1日のように意識して日々を過ごすという「**3日ひとまとめ法**」です。

朝起きてから寝るまでの1日というのは、生活の単位として非常にわかりやすいものです。ただ、毎日を一層スムーズに過ごすためには、少し課題もあります。日々考えるべきなのは、今日のことだけではないからです。今日のことを頑張りながら、明日以降の予定についても意識しておき、準備やリマインドをする必要があります。1日を1単位として考えるということは、今日➡明日➡明後日と、チャンネル変えるように思考を切り替えていく必要が生じます。

これに対して、3日をひとまとめにして考えてみます。今日を含めた3日間が、気にするべき範囲です。

実際にやってみると、明日と明後日まで意識して過ごすことから、万事で余裕を持って準備しておくことができるようになります。今日は「実行するだけ」、明日は「準備する」、明後日は「気にしておく」と3つに軽く分けて考えても良いでしょう。いずれにしても、急に今日の予定がやってくるわけではありませんので、毎日がラクになります。

さらに、このように考えて過ごすようになってから、他にも思わぬ効果があることがわかりました。

- その日の予定や作業に集中できるので効率が上がる
- 早めにリマインドするので、当日のドタキャンが減る
- 翌日以降に作業を伸ばす場合も、予定が把握できているのでスムーズ

というように、少し先まで考えておくのはメリットばかりです。1日よりも範囲が広がるので、最初は少し大変に感じるかもしれませんが、ぜひ試してみてください。

42 スマホは常にサイレント設定

私はスマートフォンを、常にサイレントに設定しています。SNS等からプッシュ通知が出ないようにしているのはもちろん、振動での通知もオフにします。電話がかかってきたときも、画面には表示はされますが、**音・振動などは一切オフ**です。

スマートフォンの通知に気を取られて、それまで維持していた集中が一気に崩れてしまう上に、そのリカバリーに時間がかかってしまうからです。スマートフォンはサイレント設定のほうが、自分自身の生産性が高まります。

私は長らく通知オフを継続していますが、特に困ったことはありません。重要な電話であれば留守電メッセージが残されているはずですし、チャット類も確認する時間を決めていれば、見逃すことはありません。

スマートフォンに割く時間を最小化することで、新たな時間が生み出されます。気がついたらスマホを触っていたということが多い人は特に、通知を切ることを試してみてはいかがでしょうか。

43
自分に合ったタスク管理をする

タスク（ＴｏＤｏ）の管理は、人それぞれやり方があるものです。紙媒体に1日の中で取り組むべきことをリストアップして、終わったら消していくというのが、スタンダードな方法でしょう。消していくときスッキリして気分の良いものです。

私はTodoistというサービスを使っています。日付、時間、優先度、タグといったさまざまな要素で整列や分類ができますし、操作感も軽快です。さまざまな端末から同時に使えて、タスクの追加・削除もリアルタイムで同期されます。

こういったデジタルサービスにはさまざまなものがありますので、好みのものを探すと良いでしょう。

タスクをリストアップするときは、「これはすぐやるから書かなくてもいいや」と思うタスクもあるかもしれませんが、2〜3分程度の短時間で完了するものを除き、**全タスクをリスト化する**べきです。「後でやることを覚えておく」こと自体が、自分にとって一定の負担となり、パフォーマンスが下がるからです。リストにやることがすべて入っていれば、安心して作業に集中でき、生産性も上がるというものです。

また、「仕事」「家庭」のように複数のタスクを管理するのも、おすすめしません。バラバラに管理していると、あちこちを見ないと全体がつかめず、非効率的だからです。

44

計画が一番大事

資格については、選び方・学び方・活かし方それぞれにポイントが多くあります。

それらのうちもっとも重要なのは、実際の勉強ではなく、動き出す前の「計画」だと考えています。何か学ぼうと思ったとき、まずは本を買うなど具体的な行動をする人が多いと思いますが、ぜひその前に計画をしっかり立てて欲しいのです。

資格取得は、一定の時間とコストを投入するものです。

似たようなものとして、旅行を例に考えてみましょう。行き当たりばったりの旅行もあるかもしれませんが、多くは失敗しないよう、事前に計画をするものです。いつ、誰と、どこに行って、何をするのか、こういったことを想定し、旅行の行程が決まります。実は、この計画を立てた段階で、楽しくなるかといった旅行の**成否がほぼ決まっている**と思いませんか？　ときには無茶な計画が結果的にうまくいったり、綿密な計画でもハプニングが起こったりすることもあるでしょう。とはいえ、そのような例外を除き、無茶は失敗するものですし、計画から大きくそれるような事態は生じません。

資格取得においても、合否の明暗を分けるのは、計画です。

参考までに、私自身がどういったことを事前に検討するか、ご紹介します。

- **日程** ⬇ 試験だけでなく、申込みや発表などを含めて確認し、予定に入れる。
- **試験内容** ⬇ 試験形式、科目数、合格基準点などから、難易度を推定する。
- **学習方法** ⬇ どんなテキストや問題集が良さそうか。リアル書店で実物を確認して購入。
- **受験体験談** ⬇ 公式の発表内容だけではわからない注意点を確認（自分と近い立場の人かチェック。違う場合はそのまま当てはめるのではなく、補正が必要。**18**参照）。

● **取得後の活用** ⬇ 取得後に使えなくて後悔しないため。資格名に「使えない」といったキーワードを付けた検索（ネガティブサーチ。19参照）もしてみる。

このようなことを事前に確認しておくことは、いざ取得を目指した後、途中で迷わず全力で取り組めるということからも、大変有益です。

45 計画は細かくし過ぎず、週単位で

時間というものは、細かくても意味があるものです。一方、目標設定・計画については、細かくないほうが良いと考えます。

人と会ったりする予定の場合は、時間を細かく決める必要がありますが、自分だけが関わる勉強などの計画は、少し大まかに決めるのがおすすめです。

計画を詳細に立てることは、非常に気持ちが良い面もあります。私もできることなら、

そうしたいと思っています。先のことを具体的に想像できますし、メリットがあるのは事実です。

しかし、私達の毎日は、思い通りに進まないことだらけで、せっかくの詳細な計画も思い通りに進みません。**細かい計画ほど、修正・変更が多発**します。変更の手間は1回あたり数分程度だったとしても、毎日のように変更が発生していくと、その都度時間を失っていくことになります。

また、変更を繰り返すことで、うまく計画が進んでいないことを自分に刷り込んでいくことにもなります。モチベーションが下がってしまうのです。そうなれば、大きな目標に向かって進んでいくとき、計画に足を引っ張られてしまうことになります。

こういった理由から、あまり細かい計画は考えものです。

では、どの程度のスパンで考えるかというと、私は「週単位」をおすすめしています。週単位の計画なら、「今週中にここまで進もう」というくらいですので、時間をかけず簡単に立てられます。また1週間程度の長さがあれば、前日の遅れを翌日取り戻すといった、多少の進捗調整が可能になり、計画の見直しをせずに済みます。もし大きな遅れや進みがあった場合にも、週末に見直しをして翌週に備えることで、リズムを維持しやすいです。

なお、学習記録を付けられるアプリなどもありますが、同様に細かい部分が見えすぎるのと大まかな目標設定が難しいので、おすすめはしていません。ただし、記録がモチベーションになるという人については、その限りではありません。

46 最初に使う教材は試験問題

新たな資格試験に挑戦するとき、最初に使うべき教材は何でしょうか。

素直に考えれば、テキストやマニュアルなど、出題内容に直結する情報が書かれているものでインプットするのが普通です。

しかし、私が最初に使うのはテキストの類ではありません。試験問題です。

もちろん、ろくに勉強しないまま最初に試験問題を解いても、まともな得点にはなりません。それでも0点になることは稀《まれ》で、自分の知識と考えをフル稼働すれば、多少は得点できます。そもそもマークシートであれば、勘でも少しは点が入ります。いずれにしてもひどい点数を取るわけですが、それが非常に重要なのです。

試験問題を解くことなく、最初からテキストを使うとき、どんな感じがするでしょうか。すべてが初めて見る新しいことで、難しいなという感じがするかもしれません。初めて学ぶのだから、それは自然なことです。

一方、試験問題を解いた後にテキストを読んだ場合は、異なる感想になります。「問題にこんなことが出てきた気がする……」とか「間違えた部分の答えがコレだったのか！」と、一味違う状態になるのです。

これは、**問題意識を持ってテキストと向き合える**、と言い換えることができるかもしれません。「はじめまして」ではなく「またお会いしましたね」とばかりに、親しみやすさが全く異なるというわけです。

さらに極端なケースですが、最初に試験問題を解いて、解けてしまったのであれば、勉強の必要などないということになります。無勉強でテストを受けても良いでしょうし、その資格をスキップしてしまっても良いでしょう。いずれにしても、勉強の時間が節約できます。

実際、私は無勉強のまま資格を取ってしまうこともあります。

47 小学生に教えるつもりで学ぶ

新しいことを学ぶときのスタンスとして、自分が「教わる側」だけにならないようにすると良いでしょう。何を言っているのかと思うかもしれませんが、吸収の効率を良くするとともに、学んだことを活かすためには大事なことです。

教わる側だけの立場でいると、わからないことがあっても、その影響は自分に及ぶだけです。計画通りに進まないという問題はありますが、影響範囲が自分だけだと、妥協してしまえばそれで終わりにできてしまいます。

では、どうすれば良いのでしょうか。答えは、「**教えるつもりで学ぶ**」ことです。

明日、誰かに伝えなければいけないとしたら、自分がしっかり理解しておく必要がありますね。もし準備が不十分であれば、自分が嫌な思いをするだけではなく、人に迷惑を掛けてしまうことになります。そう考えてみると、単に教わるつもりでいるのとは大きく違う心持ちで取り組めるのではないでしょうか。

さらに、教える相手の想定も重要です。友人知人等ではなく、知らない小学生相手に、1クラスの授業を受け持つとでも考えると良いと思います。難しい言葉のままでは伝わらないでしょうから、何か簡単な事に例えたり変換して伝える必要があるでしょう。また「なんで？」と聞かれるかもしれませんので、理由も説明できるようにしなければいけません。

教えるつもりで学ぶことには、学習効率以外のメリットもあります。実際に教えること等にも繋げられるということです。

私自身は、資格学校の講師や、個別に依頼を受けて指導することがあります。また、資格試験の参考書を執筆することもあります。こういったアウトプットをするときにもシミュレーションが必要になるのですが、インプット段階でシミュレーションしておくことで、スムーズにアウトプットができるわけです。

こうまとめると結局また学習効率にも繋がっているわけで、やはり効果は大きいと言えます。

48 暗記力・記憶力を高めるには

資格試験などの勉強でも仕事でも、結果に大きな差が出る要因の1つが、**暗記力・記憶力**です。

❶ そもそも暗記しない

私の場合はそもそも、なるべく暗記に頼らないようにしています。もちろん、最終的に一部暗記せざるを得ない部分というのもありますが、それも最終手段ととらえています。基本的に、あまり「覚えなければ」と気負ってはいません。

例えば、友達の住所というものは、暗記が必要でしょうか。友達付き合いにおいては、「○

○駅の辺りに住んでいる」くらいの理解で十分です。正確な内容ではなくても、友達の住所のように、ある程度のイメージを持っていれば十分ということは案外多いものです。

❷ まず大枠をつかむ

イメージだけではなく、しっかり覚える必要があるものについても、重要なポイントがあります。テキストなどを読みながら、前から順番に丁寧に覚えていくような、キレイなやり方をよく見るのですが、効率の面では逆のほうが良いと思っています。

昔話の桃太郎で考えてみましょう。日本人にはあまりにおなじみすぎて、「昔々あるところに～」と言えてしまうかもしれませんが、それは原文を1から順に暗記したわけではありません。ストーリーを大枠として覚えていて、そこから詳細を思い出しながら紡いでいるわけです。

こんな風に、大枠をつかむことが非常に重要なのです。資格試験の学習においても、ざっと全体をつかんでから、徐々に細部を覚えていくという流れになります。ジグソーパズルを作るときに、角や外側の枠から作っていく、そんなイメージにも似ています。

❸ ポイントを押さえる

少し細かい内容を覚えるときにも、ただ頭に入れようとするのは、効率面で今ひとつです。最終的にはすべて覚えられれば良いとはいえ、最初からそれを目指すのではなく、まずは主なポイントを押さえましょう。

桃太郎のストーリーで考えると、①誕生、②仲間集め、③鬼退治、というのが主要場面ですよね。また、登場人物で捉えるなら、①おじいさん、②おばあさん、③桃太郎、④犬、⑤猿、⑥キジ、⑦鬼、ということになります。どちらで見ても、これらのポイントを押さえればもう十分。細かいストーリーは、ポイントから構成していくことができます。

実際の資格勉強の場面では、問題に取り組む過程で、押さえるべきポイントがわかってきます。

❹ 細かい部分もイメージを大事に

単語や表のような、単なる内容や項目の並びを覚えるべきときもあります。それが重要なポイントというときもあるので、どうしても暗記が必要になる部分はあります。その場合も、なるべくイメージを大事にしましょう。

例えば英単語であれば、1文字ずつ覚えていくのではなく、長さや形に注目して「こんな感じの」といったイメージでまず捉えるのです。数字が並んだ表でも、大小関係を大きさや長さでイメージすると、ある程度のカタチやリズム感のようなものが見えてきたりします。

法律の勉強などでも、条文や内容をそのまま覚えていくのは大変ですので、実際の場面を想像して、リアルなストーリーを描くと、最終的にはそこからちゃんと条文や内容が身についていきます。

❺ アウトプットする（使う）

沢山覚えようとすると、ついついインプットを意識した勉強ばかりになってしまいがちです。しかし、インプットのために重要なのは、むしろアウトプットです。脳というものは、使わない記憶は「重要ではない」と判断して捨ててしまいます。これを回避し、しっかりと脳に保存させるために、記憶したことを使うことが非常に重要なのです。

具体的には、インプットだけで終わらせず、ちゃんとアウトプットして使うようにします。また、わかっていない部分を「ほぼわかっていた」などとごまかさないことも大事です。「間違えた」としっかり認め、痛みを感じることで、強く記憶に残すことができます。誰かに話をするのも効果的です。

49 短時間でも意味はある、むしろ効率アップ！

学びに関する悩みでよく聞かれるものとして、「時間が取れない」があります。実際には隙間時間を活かせばその多くは解決できるのですが、「まとまった時間が取れないと十分に勉強できない」と思う人は多いようです。

私たちは、学生のときには学校だけ、社会人になってからは会社等にだけ、時間を割いてきたのでしょうか。必ずしもそうではないでしょう。学生は部活やアルバイト、社会人でも家庭等に割かれる時間があったはずです。たとえまとまった時間ではなくても、そこには思い出深い経験や学びがあったのではないでしょうか。

時間で重要なのは、長さではなくて密度です。むしろ短い時間だからこそ、集中して効率が上がる部分もあります。

さらに、勉強以外に使う時間にも、学んだことを思い出すことができます。繰返し思い出し、反芻することで記憶は一層定着します。これについても、長時間の勉強を丸ごと思い出すのは不可能ですから、**短い時間にメリットがある**ということです。

私自身、士業事務所としての業務を行いながら、本書のような執筆活動をして、その上さらに資格取得などの学びを続けています。学びにまとまった時間を使いたいと思いますし、自分でコントロールしようと思えばできる環境ではあるものの、現実的には短時間でいかに成果を出すかが重要です。

具体的には、毎朝起きてすぐ、1つ30分程度の勉強をいくつか並行して行っています。これに慣れると1つに絞って1～2時間行うより、非常に効率的です。切り替えに多少慣れが必要かもしれませんが、うまくできれば確実に効果が出ますので、ぜひ取り入れてみてください。

50 不安になっても回答を変えない

いよいよ本番。試験の最中に「大丈夫だと思うけど、本当に大丈夫かな？」と、自分の回答に不安が残る場面があったりします。こんなときは、直感を信じましょう。

例えば、マークシートで一度決めた答えを、変えてしまうことはありませんか？ これは、絶対にやめたほうが良いです。たとえ不安に思っても、最初の答えが正解である可能性が高いからです。後から変えた答えは、根拠のない不安に負けてしまっただけですから、最初の選択のほうがまだマシということになります。

このように肝に銘じているので、私は「不安になった」程度のことで答えを変えることはまずありません。重要なことを思い出した場合を除き、直感で選択した回答を信じて、**絶対に回答を変えないのが吉**です。

考え方は人それぞれですが、自分が納得できる理由に基づいて「一度決めた回答は変えない！」と心に決めておくことで、ムダに悩んだり焦ったりせずに済みます。

51 奥の手「見ただけでわかる選択肢」

出題の選択肢を読んだだけで、正誤をある程度判断できてしまうことがあります。

●「〜〜ことがある」（悪魔の証明）

このタイプは、ほぼ間違いなく正しい選択肢です。

これが誤りになるには、そんなことは絶対にないという「ないことの証明」をしなければなりません。これは「悪魔の証明」とも言われますが、ないことを証明するのは極めて難しいことですので、この選択肢は正しいと判断してまず問題ありません。

●「例外なく〜〜しなければならない」（強い決めつけ）

このタイプは、ほぼ間違いなく誤りの選択肢です。「絶対に〜〜」という文章の場合もあります。

物事には、たいてい何らかの例外があるものです。この選択肢でも、実際は何らかの例外があって、誤りになります。

強い決めつけに対しては、例外的なパターンがあって誤り、と判断して良いでしょう。

●「～すれば～しても良い」（言い訳）

本来は許されないことについて、言い訳が前置きされた後に、この場合は許される、といった書き方の選択肢です。このタイプも、まず誤りと思って問題ありません。

長々と言い訳が書いてあると、それなら良いのかなと誘いに乗ってしまいそうになりますが、たいていダメなものはダメなのです。

●初見すぎる内容

選択肢を読んで、「そんなのあったっけ？」と思うような、自分にとってあまりに「初めて」な内容は、誤りであることがほとんどです。

一通り学習した上で試験を受けているのであれば、試験で完全に初見の出題というのは、まずあり得ないことなのです。選択肢の数を埋めるために用意された内容と判断して良いでしょう。

できればこのような「出題者の意図の裏を読む」ことなどせずに試験を受けていただきたいところですが、どうしてもわからない場合などには、奥の手として使ってください。

52 得点アップに一番効く方法とは

勉強や仕事の成果を一層上げるために効果的なのは、「自分の弱点を強化する」ことです。特に勉強では、得意分野については、難問にも正解でき、高得点が取れます。すると、「試験問題を解く」という枠の中では、それ以上の成果を出すことはできません。論理的にできないのです。

ですから、得点アップのためには、テストで間違えてしまう部分、**自分の弱点分野に集中**して、その克服・対策に時間を費やすのが効果的です。

テストには当然、出題者の決めた正解があります。これは、出題者の意図とも言えるものです。勘であれ実力であれ、正解できた問題は、自分の考えと出題者の意図の方向性が同じということです。そうなると、別のタイミングに同様の問題を解いても、再び正解できる可能性が非常に高いです。

逆に言えば、間違えた問題は、自分の方向性が出題者と異なるということです。しっかりと対策をして変なクセを取り除かないと、何度でも同じ間違いが繰り返されてしまいます。

具体的には、間違えた問題だけを、何度も繰り返し解きます。繰り返すうちに問題と正解の組合せを覚えてしまったりしますが、それでも構いません。考え方がわからない場合でも、形を先に覚えてしまうことで、後から理屈が理解できるということがあるのです。翌日、３日後、１週間後というように、徐々に間隔を空けながら、間違った問題を繰り返し解きます（途中で、もう十分理解できた問題については、順次外していっても構いません）。こうすることで、効率良く弱点をカバーし、得点力をつけることができます。

苦手な部分に向き合うことに、前向きになれないかもしれませんが、得意を伸ばすよりも、**不得意を改善するほうが実は簡単**なのです。

53 見直しのセオリー

何百回と試験を受けてきた私でも、ミスはあるものです。うっかりミス等の対策として、大事になるのが見直しです。

私にとって最大のミスは、数年前、情報処理技術者試験のときでした。１日の最後の試験は、２時間で２千文字以上の論文を書くという、ハードなものでした。テーマが３つ与えられ、そのうち１つを選ぶのですが、あろうことか選択した番号に丸をつけるのを忘れてしまったのです。自信作の論文だったのですが、評価は最低のＤランク。まさに、致命的なミスで不合格となりました。

経験不足であれば、それが原因でミスをします。逆に経験を積むと、今度は気の緩みから私のようなとんでもないミスをします。**どんなときでも、ミスをする可能性はある**ものと考えて、必ず見直しをしましょう。

見直しをするときは、受験番号などすべての項目を漏らさずに確認します。前から順に、記入漏れや飛ばした問題がないか、解答用紙の裏に記入箇所がないか、提出前に隅々までチェックしましょう。

ただし、このとき、さっき不安だった問題をもう一度考えようとしてはいけません（50参照）。冷静に、事務的に、機械のようなつもりで確認します。

言うまでもなく、見直しには数分程度の時間が必要です。試験を受ける際は、見直しの時間をあらかじめ見込んでおいて、少し早めに解き終わるようなペース配分で進める必要があります。

見直しは、時間が余ったからやるというものではありません。どんな人でもミスの可能性はあるという前提に立って、必ず見直しをしましょう。

資格を取った後に

54 資格取得を周囲に知ってもらう

資格を取るまでは、取得自体をゴールに定めることが多いでしょう。でも実際には、取ってからが本当のスタートです。取って終わりにして、塩漬けにしてはもったいないというもの。時間も費用も掛けて取得した資格は、最大限活かしたいところです。

何より重要なのは、**周囲に資格取得を知らせる**ことです。会社の上司や友人・知人、また親族など、周りの人はあなたの資格取得を知らないことも多いはずです。たとえその資格にまつわるなにかを必要とする人がいたとしても、あなたが有資格者である事実を知らなければ、ネットで検索するなどして見ず知らずの相手に依頼してしまうことになります。当たり前のことのようですが、周知することについて、どれだけの人が実践できているでしょうか。ＳＮＳで発信するなどして、まずは知ってもらうことが重要です。

私は今でも、取得した資格検定についてはTwitterをはじめとしたＳＮＳで発信し続けています。継続的な学びの取組みを発信することで、努力を続けているという姿勢もアピールできますので、一石二鳥です。

有資格者である事実を認知してもらった後は、**できることを具体的に伝えて**いきましょう。本人にはわかっていても、やはり周囲の人には伝わりにくいものです。

例えば「カラーコーディネーター」という名前だけではピンとこなくても、「服やインテリアなどの色について、相談に乗ったり提案できるよ」と具体的に話すことで、イメージしてもらえるとともに、覚えてもらいやすくなります。

自分以外にもその資格にチャレンジしている人や、これから取得したいという人もいるでしょうから、資格の内容について情報発信するのも良いでしょう。興味がある人と繋がることで顧客になってくれるかもしれませんし、教える相手になってくれるかもしれません。

55 資格で生まれ変わろうとしない

資格を取って活かしていこうとするときに、気をつけたいことがあります。それは、資格があなたを生まれ変わらせてくれるわけではないということです。

何かの資格を取った後、これまでのキャリアを捨ててしまったかのように、「その資格の人」になろうとする人がいるものです。難関資格であればあるほど、そういった傾向が強まるように感じますが、これは考えものだと思っています。

中小企業診断士を例に考えてみましょう。企業を支援するための幅広い知識を身につける必要があるのが中小企業診断士ですが、独占業務はありません。その分、幅広い業務が考えられる資格でもあります。

1次試験で7科目・2日間の試験を通過し、2次試験では事例企業に対しての助言等を論述する筆記と、さらに面接まであるので、合格はそう簡単ではありません。
だからこそ、合格したら生まれ変わったかのように「中小企業診断士の林です」などと名乗りたくなってしまうのもわかりますが、聞き手の立場では、林さんは一体どんなことが得意なのか、全く伝わりませんね。

資格はあくまで、プラスアルファの要素です。取得するまで、また現在まで生きてきた中でのさまざまな経験・キャリアを持った皆さんの、その一部分が認められて形に残ったものと言い換えることもできます。
先ほどの例で言えば、「中小企業診断士にもなった、林です」となるでしょうか。土台になるのはご自身であること、それを踏まえて考えることが重要と考えます。

仕事、家庭、学校……これまでさまざまな場面で、大切にしてきたことや、独自の考え方等が、誰しもあると思います。そういった自分オリジナルの部分というのは、ときに自ら気づくのが難しいかもしれません。私がブランディングなどでご相談に乗るとき、「私には何もないんです」と言う人がかなりいます。でも、ほとんどの場合、自身のオンリーワンの「強み」に気づけていないだけなのです（02、03参照）。資格を取った後こそ、自分をじっくり振り返ってみましょう。

56 資格だけで名乗らない工夫

賛否両論あるところかもしれませんが、私自身は、資格名だけで自己紹介しないようにしています。保有資格の総数が多過ぎるから、というのも理由の1つですが、「肩書き＝資格名だけ」で名乗るのはあまり得策ではないと考えているのです。

業務独占資格や、資格と仕事内容が直結しているようなもの（例えば社労士や行政書士）については、資格名で仕事の内容まである程度わかってもらえるというメリットがあります。しかし、人はそれぞれ違う存在であるところ、それが資格名の額縁に入れられることで、画一的な見られ方をしてしまうというデメリットもあります。箔がつく一方で、個性が埋没してしまうことが痛いなと、私は考えます。

私と同じような考え方が増えてきたのか、「〇〇社労士」「〇〇行政書士」といった独自の肩書きを目にすることも増えました。これが唯一の正解というわけではありませんが、有効な手法です。

私自身は、場面により複数を使い分けていますが、**「デジタル士業」「資格ソムリエ」**という肩書きを使うことが多いです。また、僧侶として**「釋　覚諭」**という法名もあります。いずれにしても、資格の名称自体を極力使わないようにしています（何ができるか、というアピールの意味で、保有資格名を入れることはあります）。

自分の強みをじっくり考えて、**資格にプラスして「何ができるか」を自問自答する**ことで、こういった独自の肩書きが思いつくかもしれません。

57 資格で開業・独立するには

まず、自分の保有する（またはこれから取得する）資格が独立向きかどうか、ターゲット（潜在顧客・市場規模）を考えてみるのがおすすめです。

例えば社労士の場合、簡単に言えば「会社」が顧客になることが多いわけですが、日本にある会社は４百万社ほどです。４万人の社労士がいるとすると、すべての会社が社労士を使ったとして、単純計算で１人につき１００社の顧問先ということになります（実際の社労士関与率は４割程度と、もっと低いですが）。

では、整理収納アドバイザーはどうでしょうか。極端かもしれませんが、日本にいる１億人以上の人口、ほぼすべてがターゲットになり得ることになります。もちろん現実にはそんなに簡単にはいかないですが、可能性はあります。

こういったことから私は、よほど市場が小さくない限り、**どんな資格でもチャンスはある**と考えています。

自分に合う資格を見つけ、晴れて取得できたら、いざ独立です。

「独立」に明確な定義があるわけではありません。１つの目安として、個人事業の場合は税務署に開業届を出し、自分の事業を始めたら「開業」ということになります。

開業届を出すにあたり、自分の屋号が必要となります（必須ではないですが、あったほうが良い）。自分の仕事が伝わりやすく、かつ言いにくくない、当分使っていけるものをしっかり考えましょう。

開業すると気持ちが高まりますが、何もしなければ顧客がいませんので、仕事がありません。そこで顧客獲得が急務となります。その準備として、名刺など最低限の営業ツールを作らなければいけません。私がおすすめしているのは、何より**名刺の作成**です。名刺を作ることで、比較的簡単にビジネスの大枠を考えるきっかけにもなります。

名刺には、会社名、肩書き、住所、電話番号、メールアドレス、ホームページ、取扱商品などを記載するわけですが、逆に言えば名刺作成の前にはこれらの準備も必要です。名刺自体は安価で作り直すことができますので、ある程度準備できたら作成して、徐々に内容を充実させていくと良いでしょう。私自身は、毎回１００枚ほどしか印刷せず、小まめにリニューアルし続けています（**65**参照）。

また、名刺以外にもホームページやパンフレット、チラシなどが必要で、これらを準備すると、内容によりますがあっという間に数十万円といった金額がかかることもあります。時間や手間だけではなく、金銭的にもそれなりに準備をしておく必要があります。

58 資格を使って稼ぐには

開業や独立は難しい、いきなり進むのは怖い、という人も多いでしょう。

たしかに、多くの準備を1人で独立してから行うのは大変なものです。そこで、できれば今の仕事を続けながら準備を進めることが有効です。

準備だけでなく、新しい仕事を少しずつ始めるという方法もあります。**副業・兼業**です。

もちろん、仕事が増えるのは大変な面もありますが、毎月給与をもらえる会社員の環境を維持しつつ、自分なりの新しい仕事に挑戦できるメリットは、非常に大きいです。私自身も、会社を辞めて完全に独立する前、2年間ほど兼業の期間がありました。この期間があったからこそ、チャレンジが可能だったと思っています（相当きつかったのも事実ですが）。


実際に業務を行うためには、資格によってそれぞれ異なる準備が必要となります。

例えば社労士の場合ですと、社労士としての登録を行う必要があります。紙1枚書けば済むというものではなく、さまざまな添付書類を役所で準備した上で、登録に必要な費用を用意して、ようやく登録が可能になります。

最低限必要な手続きの他にも、業務に使うパソコンや資料等を買う必要もありますし、帳簿をつけて確定申告をするため、会計ソフトを使ったり税理士と契約したりする必要もあります。業務そのものの準備だけではなく、こういった付随するものの準備も必要なのです。

資格を稼ぎに繋げるのは簡単なことではないですが、かといって不可能なことでもありません。重要なのは、**やるもやらないも自分次第**ということです。勉強はテキスト・問題集を進めていけば確実に成果が出ますが、稼ぎ方には決まった正解がありません。十人十色、それぞれに合ったやり方があるからです。試行錯誤を繰り返す必要があり、うまくいかないことも多いのですが、続けていれば結果はついてきます。

重要なのは、あきらめずに続けることです。

59 大量の資格の管理術

資格の取得後は、しっかり維持・管理する必要があります。時間と費用をかけて取得したものを、万一にも失効させてしまうことがないようにしなければいけません。

また、合格証などは一度しか発行されない場合もあり、大変重要なものです。

私の場合は保有する資格が多すぎて、1人では手に負えず、スタッフにも管理を手伝ってもらっています。合格証や成績表など、資格の数以上に保存すべきものがあるので、それらのファイルは何冊にもわたり、持ち歩くことも不可能になってしまいました。

さて、合格証などが届いたら、封筒などに入ったままにはせず、**資格専用のファイル**を1つ用意して、そこにまとめましょう。保有資格数が増えてきたときは、分類ごとに複数用意するのも良いです。届いた合格証の他、記念として残しておく場合には受験票や試験問題などを1箇所にまとめておけば、必要なときに探す手間も省けます。

私は穴を開けずに綴じられるよう、透明のポケットタイプのものを1資格につき1枚使ってファイリングしています。特定の資格について講演などをするとき、必要なものだけ簡単に持ち出すことができ、重宝しています。

また、合格証などの重要書類は、スキャンしてデータとしても保存しておきます。万一紛失したときに備えるという意味もありますし、番号などを確認したいときには現物を探すよりもデータのほうが便利です。外出時にも参照できます。

カード型の合格証や、スキャンできないような大型の紙については、写真を撮って保存しておきます。いずれにしてもデータに残して、フォルダにまとめておくと便利ですし、安心です。

さらに、私の場合は保有資格数が多過ぎるので、保有資格をまとめたリストを作成しています。資格名、取得日、番号などの情報を1つのExcelファイルにまとめておくことで、このリストだけで必要な情報がほぼ揃います。有効期限がある資格があれば、有効期限の欄を作ってメモしておいたり、更新時期を自分のカレンダーに登録したりすることも忘れないようにしています。

60 商標登録する

デジタル士業®、資格ソムリエ®など、私はいくつかの商標を登録しています。

商標登録は必須ではないものの、自己プロデュースとしてなにかを自称している士業であれば、登録をおすすめします。

商標を取ることで、当方と同一または類似した名称に対して、使わないよう文句を言えるようになります。言い換えると、商標を取っていない場合は、文句も言えないということです。

実際に私の周辺で、「〇〇ソムリエ」というフレーズを使っていた人がいたのですが、そのフレーズは実は既に商標登録されており、あるとき使用差止めの申入れが届いたので、慌てて対応したということがありました。ウェブサイトや名刺などをすべて修正しなければならず、かなりの負担となったそうです。

商標登録まではしない場合でも、考えたフレーズやネーミングを使い始める前には、せめてそれが既に商標登録されていないかをチェックするべきです。

第3章

資格を仕事にする

小企業診断士 社
政書士 社会福祉
全確保支援士 マ
理業務主任者 宅
貸不動産経営管
サルタント 国内旅
者 経営士 防災
種防火管理者 相
査士 普通自動車
ム監査技術者 ITス
ジェクトマネージャ IT
ャ 情報セキュリティスペ
ワークスペシャリスト デ
ャリスト ソフトウェア開発
報技術者 情報セキュリ
パスポート 初級システムア
Microsoft Office
xpert Microsoft Office
Word 365&2019 Expert
Office Specialist Excel
xpert Microsoft Office
ssociate Microsoft Office
Word 365&2019 Microsoft Office
xcel 365&2019 Microsoft Office
owerPoint 365&2019 kintoneカイゼンマ
ス ート kintoneアプリデザインスペシャリスト kinto
.com Master ADVANCE .com Master BASIC パソコン
パソコン整備 定3級 コンピュータサービス技能評価試験（情報セキュリ
バイザー検定「人 ャリスト」WEBライター検定3級 ドローン検定2級 ドローン検定3
級 インターネットにおける &マナー検定 健康経営アドバイザー 感染対策アドバイザー ビジネスマネジャー
生管理者 人事評価者検定初級 ワークルール検定中級 ワークルール検定初級 緊急時避難誘導員 防災コンシェルジュ CSR検定4級 e
SEEKER CDA 心理相談員 メンタルヘルス・マネジメント検定Ⅱ種 メンタルヘルス・マネジメント検定Ⅲ種 メンタルケア心理士 メンタルケ
ターケアストレスカウンセラー 青少年ケアストレスカウンセラー 高齢者ケアストレスカウンセラー 企業中間管理職ケアストレスカウンセラー ケア
ー こころ検定2級 こころ検定3級 こころ検定4級 心理カウンセリングスペシャリスト メンタルヘルス・スペシャリスト メンタルトレーニングスペ
カウンセリングスペシャリスト コミュニケーションスキルスペシャリスト マインドフルネスコンサルタント アンガーバランスマネジメント 心理＆WEBカ
イルドコーチングマイスター 食品衛生責任者 販売士検定2級 販売士検定3級 マーケティング検定3級 実践マーケティング力検定3級
ー資格試験3級 プレゼンテーション検定準2級 プレゼンテーション検定3級 プレゼンテーション検定準3級 SNSリスクマネジメント検定
ート検定 クラファン検定 通販エキスパート検定2級 通販エキスパート検定3級 通販エキスパート検定カスタマー・セントリシティ ファイナン
（AFP） ファイナンシャル・プランニング技能士2級 会計ソフト実務能力検定1級 日商簿記検定2級 日商簿記検定3級 日商簿記検定
検定原価計算初級 こどものお金先生検定3級 銀行業務検定CBT DXサポート 生命保険協会一般課程試験 知的財産管理技能士2
法務検定2級 ビジネス実務法務検定3級 ビジネス実務与信管理検定試験3級 ビジネス事務検定 事務スペシャリスト テレワーク検定
級 在宅ワークスペシャリスト QC検定4級 秘書検定2級 秘書検定3級 サービス接遇検定2級 サービス接遇検定3級 おもてなし学
し学検定2級 おもてなし学検定3級 ほめ達検定2級 ほめ達検定3級 ソーシャルマナー3級 マナーインストラクター 判断力検定初級
級 人間力徳育検定初級 社会人コンプライアンス検定 社会人ホスピタリティ検定［実践］ 社会人ホスピタリティ検定 社会人常識マナー検
識マナー検定3級 マナー・プロトコール検定3級 ニュース時事能力検定3級 ニュース時事能力検定4級 コミュニケーション検定初級 きも
日本語検定2級 日本語検定3級 日本語検定4級 漢検3級 漢検4級 漢検5級 四字熟語検定1級 四字熟語検定準1級 四字
熟語検定3級 四字熟語検定4級 敬語力検定準1級 敬語力検定2級 敬語力検定3級 敬語力検定4級 略語検定1級 略語検定
2級 略語検定3級 ことわざ検定4級 ことわざ検定5級 英検3級 英検4級 みんなの外国語検定 安全運転能力検定3級 安全運
危険物取扱者（乙種1類） 危険物取扱者（乙種2類） 危険物取扱者（乙種3類） 危険物取扱者（乙種4類） 危険物取扱者（乙種5類
（乙種6類） 危険物取扱者（丙種） 第二級陸上特殊無線技士 第三級陸上特殊無線技士 第二級海上特殊無線技士 第三級海上特
チュア無線（3級） アマチュア無線（4級） 測量士補 潜水士 PADIアドバンスオープンウォーターダイバー PADIディープダイバー PADI
ダイバー PADIドルフィンスキンダイバー PADI AWAREサンゴ礁の保護 PADIデジタルアンダーウォーターフォトグラファー サービス介助士
知症介助士 スマート介護士初級 終活ガイド2級 終活ガイド3級 終活ライフコーディネーター ジェロントロジー・マイスター ジェロントロジー
コーディネーター2級 共生社会コミュニケーション検定試験 ユニバーサルマナー検定3級 おひとりさま検定 予防医療検定 上級救命技能
初級 ピンクリボン検定入門コース グリーンリボン検定 リンパケア検定2級 口腔ケアアンバサダー 歯みがき検定マイスター 歯みがき検定1
2級 歯みがき検定3級 メディカルハーブ検定 メディカルハーブコーディネーター ハーブ＆ライフコーディネーター ハーブ＆ライフ検定 アロマ
環境カオリスタ検定 ナチュラルビューティスタイリスト検定 スローライフマイスター検定 ラジオ体操指導員 日本健康マスター検定エキスパー
ター検定ベーシック 健康管理検定2級 健康管理検定3級 栄養検定3級 栄養検定4級 食育栄養コンサルタント 食生活アドバイザー3
トライトサポーター 薬膳・漢方検定 温活検定3級 入浴検定 睡眠健康指導士 睡眠検定1級 睡眠検定2級 睡眠検定3級 睡眠検
サルタント ダイエット検定1級 ダイエット検定2級 筋肉のこと知ってますか検定3級 筋トレスペシャリスト 骨格診断アドバイザー検定3級
色彩検定2級 色彩検定3級 色彩検定UC級 色彩士検定4級 パーソナルカラー実務検定3級 美術検定4級 日本化粧品検定3級
コスメマイスター・ライト スキンケアマイスター メンズメイク検定3級 整理収納アドバイザー2級 デジタル整理アドバイザー2級 ライフオーガ
け収納スペシャリスト お掃除プロフェッショナル 掃除能力検定2級 掃除能力検定3級 掃除能力検定4級 掃除能力検定5級 靴磨き
知識アドバイザー） サウナ・スパプロフェッショナル サウナ・スパ健康アドバイザー サウナエキスパート 温泉健康指導士 温泉ソムリエマスター
の宿おもてなし検定2級 日本の宿おもてなし検定3級 山の知識WEB検定ゴールドコース 山の知識WEB検定シルバーコース 山の知識
ズコース 初級バーベキューインストラクター 晴れ男・晴れ女認定試験 日本城郭検定オンライン入門級 世界遺産検定2級 世界遺産検定
定4級 全国道の駅検定 東京シティガイド検定 名古屋観光検定上級 名古屋観光検定初級 京都検定3級 福岡検定初級 軽井沢W
「お伊勢さん」初級 エイサー検定1級 エイサー検定2級 エイサー検定3級 ハワイスペシャリスト検定中級 ハワイスペシャリスト検定
SA） 料飲サービス検定 ワイン品質鑑定士 ワイン検定シルバークラス ワイン検定ブロンズクラス ワインマイスター ワイン検定3級 ワイン検
定5級 ワインナビゲーター 日本酒スペシャリスト 日本酒検定3級 日本酒検定4級 日本酒検定5級 日本酒ナビゲーター 焼酎検定3級
焼酎検定5級 ウイスキー検定2級 ウイスキー検定3級 カクテル検定3級 カクテルマイスター 日本ビール検定3級 日本茶検定1級 茶道
茶道文化検定4級 料理検定2級 料理検定3級 菓子検定2級 菓子検定3級 チョコレート検定中級 チョコレート検定初級 プレチョ
ズ検定 すし検定 日本ラーメン検定初級（ラーメニスト） おにぎり検定（オニギリスト） 唐揚検定（カラアゲニスト） 串カツ検定（串カツマイスタ
・アンバサダー検定 タマリエ検定「一ツ星タマリエ」 あんこ検定 渋沢栄一検定初級 箸ソムリエベーシック 風水＆パワーストーンコンサルタ
か検定 いぬ検定初級 謎解き能力検定7級 レザーソムリエBasic フォトマスター検定3級 学び直し＆独学アンバサダー検定 集中力検定
検定参級 神社検定初級 聖書検定3級 聖書検定4級 聖書検定5級 葬送儀礼マナー検定2級 日本仏教検定2級 日本仏教検定
ドバイザー 僧侶 お客様対応専門員（CAP） 予防医療アンバサダー ねこ検定 システムアーキテクト 健康介護コンシェルジュ サウナ・スパ

61 種をまき続ける

　私がとても重視しているのが、「種まき」です。ビジネスに繋がる活動をコツコツ地道に続けるということです。

　最近になって、雑誌、ラジオ、ウェブメディアなどさまざまな場に招かれるようになりましたが、それらも**人知れず続けてきた種まき**の成果であって、決して一朝一夕のことではありません。

　どんな人でも、地道な活動を続けることで、一定の成果を必ず出せると思っています。

　種まき活動の具体例としては、次のようなものがあるでしょう。

●SNS・ブログの発信

何も発信しないよりは、たとえその日食べたラーメンのことであっても、何かしら発信したほうが良いです。1番寂しいのは、投稿が何年も止まっているようなアカウント。心配になってしまいますので、いっそ閉じてしまったほうが良いのではと思うくらいです。できれば、毎日や数日ごとなど、更新頻度を高くしたいもの。資格試験の情報や勉強内容など、自分の資格についてであれば、発信しやすいでしょう。

さらに本格的に行うなら、運用の支援など、専門家の力を借りるのも効果的です。

●リアル対面

1対1でお話する、数人のグループでの情報交換、飲み会や交流会への参加など、どういった形でもそうですが、リモートではないリアルでの対面は重要です。リモートでは視覚的な情報しか伝わらず相手の印象に残りにくい一方、リアルの場での出会いは印象深く、今後も続く関係性が構築しやすいといえます。

このような考えから私は、数か月ごとにまとまった人数の交流会・飲み会を開催したりもしています。同じ資格の保有者同士であれば、話も弾みます。

● 執筆・講演

たとえ報酬が安価でも、執筆や講演の依頼には、基本的に対応するようにしています。

企業などから社内向けの講演を依頼された場合は、報酬が高くても、オープンにできないことが多いものですから、実績としてオープンに残せる依頼は、むしろありがたいのです。

こういった執筆・講演は、はじめの一歩をどう踏み出すかが難しいですが、そこを超えればこっちのものです。1つの実績が次の案件に繋がっていくからです。私の場合、毎年同じ資格対策講座を担当させていただく案件もあります。

具体例は他にいくらでも考えられるところですが、つまるところ「**継続が大事**」ということに尽きます。本業と両輪で、コツコツ種まきをすれば、時間はかかっても必ず芽が出てきます。

62 知識を縦割りで考えず、他分野に応用する

資格検定などで学んだ内容は、限られたその範囲で使うだけではなく、他分野に応用することで一層輝きを増します。

例えば、情報処理技術者試験のプロジェクトマネージャでは、**WBS**（Work Breakdown Structure）という考え方を学びます。「システムの入替え」のように大きな仕事（プロジェクト）は、大きすぎてこのままでは何をすれば良いかわかりません。しかし、時間軸や担当者の単位で細かく分けていくと、最終的には私たちの「やることリスト」（ＴｏＤｏ）に書いてあるような、すぐに実行可能な作業にまで分解できるのです。

ＷＢＳはプロジェクト管理以外でも活用できる知識ですが、プロジェクト管理以外の領域ではあまり知られてはいません。

このような例はたくさんあります。**知識は領域をまたいで使ってこそ一層有益**だと思っています。

また、広い視野で考えていくことで、新たな発見ができることもあります。

整理収納アドバイザーで学ぶことに、一度すべての収納を空にして中身を外に出すという片付けのメソッドがあります。このやり方、プロジェクトマネージャのＷＢＳと、根本的には同じような内容を言わんとしていると思いませんか。要するに「見える化」による現状把握と作業の細分化なのです。

このように、さまざまな分野を学ぶとともに、分野の垣根を取り払って広く俯瞰《ふかん》していくと、多くの知識に共通する真理ともいうべき、重要な点が浮かび上がることがあります。**学びを狭い範囲に留めておくのはもったいない**というものです。試験勉強をするときには細かく積み上げていく必要がありますが、試験突破後に知識を使うときは自由に使ってかまいません。むしろ、自分なりに考えてアレンジすることで、オリジナリティが出せます。

およそ世の中のアイデアというものも、既存の事柄の組合せや応用であることがほとんどです。学びは自由に活かしていきましょう。

63 速さは最大の武器

非常にシンプルですが、**速さは最大の武器**だと思っています。

近頃は「コスパ」「タイパ」と、何かと物事を切り詰めて考えがちな世の中ですが、速さによって時間を節約できればタイムパフォーマンスは上がりますし、物事を短時間で済ませるのはコストパフォーマンスを上げることでもあります。

また、積極的な意味でも速さは強みです。

商標登録などの知的財産権は、誰が最初に申請や出願したかが重要ですし、流行を捉える上でも、いち早くサービスをリリースすることが勝負の鍵を握ります。

他の条件が同一であれば、速いことは良いことだと断言できます。

私自身、開業初期に「デジタルにも詳しい士業」としてのアピールを始めました。今でこそ同様のアピールをする人も増えましたが、当初はかなり珍しい存在でした。そのおかげで注目していただくことができ、各種メディアへの露出や、著書の執筆といった機会に繋がりました。もし、これが数年ズレていたら、状況は全く異なっていたことでしょう。

週刊誌やラジオといったメディアからの依頼に対応していると、非常に仕事が速く、サイクルも短いことに驚かされます。放送の前日に「明日〇時からラジオに出演してほしい」という依頼が来たりするのです。

こういった業界は特殊かもしれませんが、その姿勢には学ぶべきところもあります。

もちろん、仕事においては、速さ（早さ）だけでなく、品質が一定以上であることも求められます。とはいえ、品質の向上・維持は非常に大変なことであるのに対し、スピードアップは取り組みやすいので、常に意識したいところです。

64 見た目を意識する

少し前に『人は見た目が９割』（竹内一郎著、新潮社、２００５）という書籍がヒットしました。この本には、コミュニケーションの場において言語が果たす役割は全体のおよそ７％にすぎず、言語以外の情報が９割以上の大きな役割を担っている、と書かれています。

私は、顧客との商談、セミナーへの登壇、交流会への参加などを通じて、この本の指摘は正しいと実感しました。そのため、常日頃から、服装や装飾品、所作など、相手の目に映る自分像には特に気を使っています。

士業や資格で仕事をする人は特に、「信頼のおける人か」ということが、見た目などから判断されやすい職業です。

仮に私が、金髪に革ジャン姿の社労士であったとしたら、依頼者（顧問先を探す企業）は、大切な自社の人事・労務情報を預けたいとは思わないでしょう（そういった装いが一概に悪いというわけではないのですが）。

顧客との商談や交渉などの場面でも、自分の言いたいことを相手にきちんと伝えたいのなら、まずは**相手と同じ土俵に立てる、最低限の身だしなみ**が大切です。

とはいえ、特に服装について、相手が不快に思わないからと杓子定規にただスーツを着ているばかりでは、こんどは印象に残りません。特に交流会やセミナーなど、人が集まる場所では、自分らしさを表現する部分も持ち合わせていたほうが、多くの人の印象に残りやすくなります。

実際、私はセミナーなどに登壇する際、聴衆の印象に残ることを意識して、いつもより少し派手な色味やデザインの服装を選んでいます。

また、顧問先の担当者が思わず自慢したくなるような先生像を体現できると良いと思っています。逆に「うちの先生、仕事はできるけれど、あんまりパッとしない」と思われてしまっては、大きな損です。時計やカバンは品質の高い物を使うようにするなど、身だしなみにもある程度のこだわりがあると良いかもしれません。

65 名刺を工夫する

コロナ禍により人と直接会う機会が減ったからこそ、直接対面の価値・重要性が増しました。そのため、直接お渡しする名刺も、より重要になったと思っています。

そもそも私は、以前から名刺にかなりこだわってきました。贈答品や接待のように見返りを期待することなく誰にでも公平にお渡しでき、作成コストもさほどかからない名刺は、**ツールとして非常に優秀**だからです。

名刺の新規作成は、自身のビジネス上のポイントなどを考える良い機会なので、独立や副業について相談を受けるときも、まずは名刺の内容を考えてみるようおすすめしています（**57**も参照）。

さて、本書執筆時点の筆者の名刺は、なんと４つ折りです。通常のつくりの名刺から、２つ折り、３つ折りを経て、現状のように至りました（そのような変遷自体が会話のきっかけになることもあります）。３つ折りまでは単価もあまり高くなく、こだわって作っても1枚数十円だったのですが、４つ折りでは1枚2百円にもなってしまいましたので、そろそろ他の方法を考える必要があるかもしれません。

折りたたんだ状態の表裏には、一般的な情報を記載しています。手渡すともれなくその厚みに驚かれますので、表面はあえて普通の内容にしているのです。とはいえ、表面にはスタジオで撮影した顔写真、事務所ロゴマーク、キャッチコピー、裏面には事務所ＵＲＬのＱＲコード、趣味など、情報をなるべく盛り込んでいます。

これを観音開きにすると、内側を見る状態になります。ここでは、最初の表裏から一段階深い情報として、実は僧侶でもあるということを写真とともに伝え、また主なメディアの実績を載せて、こんなこともしてるんですよというアピールをします。表面の顔写真と同じ位置に僧侶として顔写真を掲載していますので、見比べて驚いてもらえる仕掛けです。

さらにもう1段階開くと、最も内側の４ページ分が一気に現れます。ここには、作成時の保有資格をすべて記載しました。まずその量に驚かれますし、量によるインパクトを狙ってもいるのですが、それだけではありません。これだけ資格が記載されていれば、どんな相手でも共通点が見つかるものです。「これは私も持っています！」などと話が弾むとと

はやし総合支援事務所
ITを始めとする専門知識で職場改善
効率化した新しい働き方をご一緒に
デジタル士業®
業務改善・DXなら
IT社労士・行政書士
中小企業診断士
代表
林 雄次
はやし総合支援事務所
〒179-0084 東京都練馬区氷川台2-3-8
・tel:03-3935-1691
・mail:hayashi@h-office.biz
・web:https://h-office.biz/
【独立行政法人 情報処理推進機構（IPA）セキュリティプレゼンター】
【東京都社会保険労務士会 デジタル・IT化推進特別委員】
【経済産業省 認定情報処理支援機関】【中小企業庁 認定経営革新等支援機関】

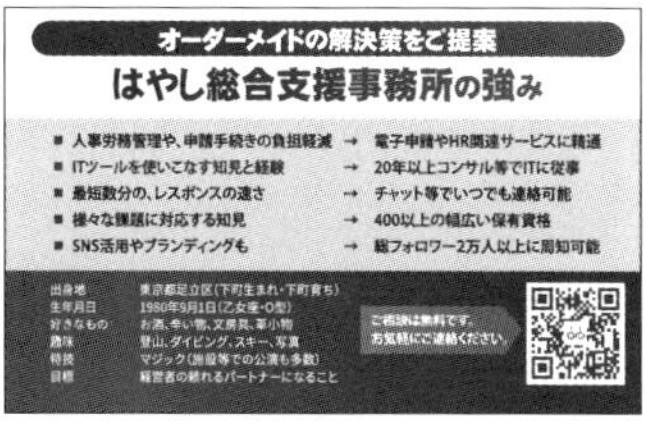
オーダーメイドの解決策をご提案
はやし総合支援事務所の強み
■ 人事労務管理や、申請手続きの負担軽減 → 電子申請やHR関連サービスに精通
■ ITツールを使いこなす知見と経験 → 20年以上コンサル等でITに従事
■ 最短数分の、レスポンスの速さ → チャット等でいつでも連絡可能
■ 様々な課題に対応する知見 → 400以上の幅広い保有資格
■ SNS活用やブランディングも → 総フォロワー2万人以上に周知可能
出身地 東京都足立区（下町生まれ・下町育ち）
生年月日 1980年9月1日（乙女座・O型）
好きなもの お酒、食い物、文房具、革小物
趣味 登山、ダイビング、スキー、写真
特技 マジック（施設等での公演も多数）
目標 経営者の頼れるパートナーになること
ご相談は無料です。
お気軽にご連絡ください。

浄土真宗東本願寺別院
本願寺眞無量院
林 雄次
法名 釋 覚諭
本願寺眞無量院
〒600-8216
京都市下京区木津屋橋通新町
東入ル東塩小路町690-6
・tel:075-371-1717
・fax:075-371-1727
・mail: info-shugaku@shinmuryouin.jp
・web: https://shinmuryouin.jp

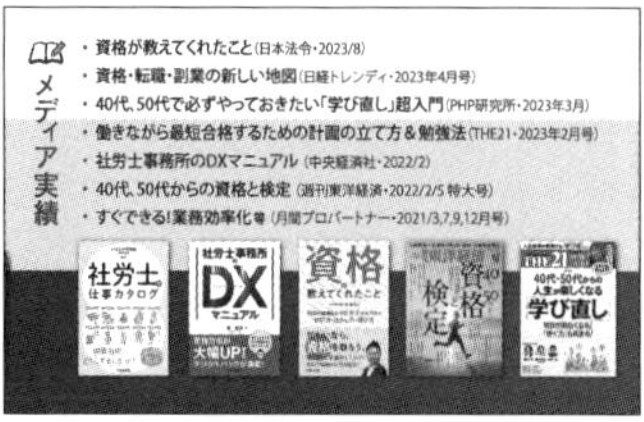
メディア実績
・資格が教えてくれたこと（日本法令・2023/8）
・資格・転職・副業の新しい地図（日経トレンディ・2023年4月号）
・40代、50代で必ずやっておきたい「学び直し」超入門（PHP研究所・2023年3月）
・働きながら最短合格するための計画の立て方＆勉強法（THE21・2023年2月号）
・社労士事務所のDXマニュアル（中央経済社・2022/2）
・40代、50代からの資格と検定（週刊東洋経済・2022/2/5特大号）
・すぐできる!業務効率化等（月間プロパートナー・2021/3,7,9,12月号）
社労士 仕事カタログ
社労士事務所 DX マニュアル
大幅UP!
資格 教えてくれたこと
検定 資格
40代・50代からの人生が楽しくなる 学び直し

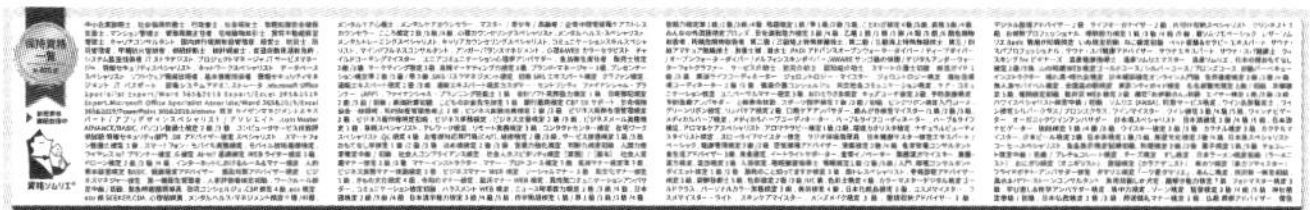

もに、親しみを持ってもらえます。

また、開いた状態から折りたたむときには、「こんな資格があって」⬇「僧侶でもあったりして、メディアにも出ている」⬇「林です」と、逆の流れで見てもストーリーが成り立つようになっています。

なお、安っぽい印象を持たれないよう、紙はしっかり厚めのものを使用し、表面にはマットコーティングも施しています。印刷内容だけではなく、細かいこだわりについても、伝わる人には伝わるものです。**可能な限りの工夫を詰め込む**のが良いと思っています。

66 印象を残すノベルティ

名刺以外にも、名刺にプラスアルファする営業ツールとして、作成しているものがあります。オリジナルのノベルティです。

いくら名刺が印象に残るものであっても、名刺のファイルなどに収納されてしまえば、再度目に触れるのはいつになるかわかりません。また、名刺は更新頻度がそう高いものではないので、同じ人に何度もお渡しすることは稀です（私の場合は、資格数が増えると名刺も更新することで、最新版をお渡しする機会を意図的に増やすという工夫もしています）。

そこで、名刺を補うためのちょっとしたノベルティのようなものを、作成して手渡しているのです。ここでは、反応が良かった2つをご紹介します。

●しおり

しおりは実用的ということで、おおむね好評でした。士業の仕事のイメージにもピッタリでしょう。資格を学ぶ方には、毎日使っていただけますし。

著書や自分のインタビューが載った雑誌を進呈するようなときに、このしおりと一緒に渡す、といった使い方もあります。

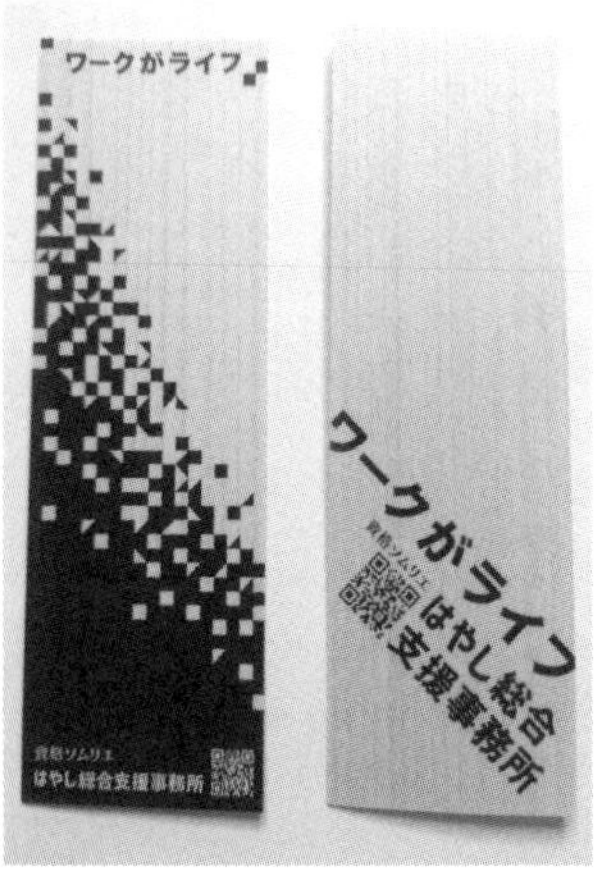

材質がヒノキの木材で温かみがあり、ほんのりといい香りがするのもちょっとしたこだわりのポイントです。使っていただくことで、ちょっとしたときに思い出してもらえることを期待しています。

● オリジナルのシール

しおりとは反対に実用性は皆無で、ただただ面白さで作っているのが、オリジナルのシールです。特定の世代には伝わるであろう、往年のお菓子のオマケシール風のデザインで、私自身をキャラクター化したものです。見た目がとにかく奇抜なので、お渡しするときのインパクトは絶大です。

このようなノベルティ、制作単価は安いもので数十円からと、さほど高額でもありません。喜ばれるとこちらも嬉しいものですので、おすすめです。

67

交流会や士業の会に参加する

目の前の仕事が順調であればあるほど、つい現在のことばかりに集中してしまうものですが、事務所の代表や個人の士業にとっては、日頃から幅広く人と交流する時間が非常に重要です。

私は、社労士業とフルタイムの正社員エンジニアを兼業していた頃から、平日の夜に交流会に参加するなど、将来のための何か新しい可能性を得られる時間を大切にしてきました。いま事務所のウェブサイトを制作してもらっているウェブ制作会社はその頃に出会ったところですし、人と会うことで人脈が広がり、私に仕事を依頼してくださる方もいました。

社労士会や行政書士会など、士業や資格者にはそれぞれ「会」があります。意外かもしれませんが、私はこのような会を重視しています。地元（練馬区）の会合に顔を出すだけでなく、地元会でセミナーをさせていただいたり、行政協力で相談窓口に立ったりと、割としっかり活動しています。ちゃんとしたメリットもあると思っているからです。

例えば、地元会で仲良くしていただいている先生から、東京都社労士会の委員にならないかと誘われ、「デジタル・IT化推進特別委員」を拝命しました。これにより、東京都社労士会だけでなく、他県会などからの講演依頼にもつながっています。

もちろん、このような会への参加は、会に決められたことに沿って動かなければならないことや、時間的な拘束が発生することなど、多少は覚悟しなければなりません。そのため、参加するのであればしっかりとやるべきです。

人と交流する時間は、資格勉強の時間と同様、自分の将来のためになる時間です。参加する場所さえ意識して選ぶようにすれば、自分の市場の範囲が広がることでしょう。

68 自分の時間単価を判断基準にする

時間をつくるためには、なにかを「やらない」という決断をしなければなりません（31参照）。では、「やること」と「やらなくていいこと」を、どのように判断すれば良いでしょうか。

一番シンプルかつ判断しやすいのは、**自分の時間単価**を基準とした判断です。

自分の時間単価は、希望年収から逆算すると良いでしょう。仮に年収１千万円を目指しているのであれば、年間２４０日かつ１日８時間の稼働で、１時間あたり平均５千円超の単価が必要だと試算できます。このような判断基準があれば、例えば引き受けるべきか悩ましい依頼があったとき、その報酬を時間単価のどちらが高額かというように、判断がしやすいでしょう。


この時間単価という考え方は、仕事（本業）に限りません。特に独立している士業であれば、営業・広報活動・経理といった付帯的なさまざまなタスクについても、自身が行うか、それとも外注すべきか等も判断できるようになります。

例えば、自事務所のウェブサイト制作で考えてみましょう。費用節約のため、自分で手を動かしてサイトを構築する人も多いのですが、時間単価という点からみると、非常にもったいない機会損失をしている可能性があります。いまやサイト制作は、クラウドソーシングなどの利用により、時間単価１千円程度からでも発注できるのです。自分の時間単価を５千円と見積もっているのであれば、１時間あたり４千円分の報酬を逃していることになります。費用を節約していたつもりが、サイト制作費を上回る額の機会損失をしていることも十分あり得ます。

一方で、外注すると一時的にその費用がかさみますが、その分の時間を他の仕事に回すことができます。自分が真にやるべき仕事に手をつけられますから、自社サイトの制作と自分のやるべき仕事の２つのタスクを同時並行で進めることができ、アウトプットのスピードが上がります。アウトプットのスピードが上がれば、新たな仕事を始めることもでき、次々と価値を生み出していくことが可能になります。時間単価という点から見れば、目の前のタスクを自分でやらないという判断も可能になるわけです。

自分の時間単価を計算したことがないという人は、仮の金額でもよいので、試算してみることをおすすめします。

69 スタッフに任せる

時間単価という観点から考えると、誰でもできる事務作業は、スタッフに任せてしまったほうが良いといえます。

士業事務所において日々の業務の中で発生する、経費のシステム入力や書類のファイリングといった単純な事務作業は、ときに頭を休める息抜きにもなるため、自分で手を動かしてしまいがちです。ですが、マニュアルがあれば誰でも対応できる作業なのであれば、事務の専任スタッフやパートの方など、任せられる人にお願いすべきです。

たとえ単純作業が好きであっても、そのような性質の業務はできるだけスタッフに任せ、自分は知見やスキルを活かした仕事にコミットしていくほうが、圧倒的に生産性が向上しますし、まとまった時間も生まれるはずです。

私の場合は、例えばこれまでに取得した資格のリスト記載内容の更新、資格証のファイリングや整理などの作業を、事務のスタッフにお願いしています。資格情報の管理は嫌いではないのですが、この作業は意外と時間がかかり、一方でリストの更新方法さえ伝えてしまえば、誰でも担うことができる作業だからです。

このようにスタッフに動いてもらうことで、私は自分の仕事に集中しながら、新たな資格試験に向けた勉強や、資格を活かした新しい依頼に対応できるようになりました。

スタッフに任せる仕事は、何も単純な事務作業だけではありません。事務所全体で仕事の量が増えてくると、いくらやりたい内容の仕事でも、時間単価が見合わないために、自分で手を動かさないほうが良いものが増えていきます。

そのような仕事も、思い切って他のスタッフに任せてしまいましょう。仕事内容によっては、そのスタッフの育成につながることだってあります。

なにかを「やらない」という決断には、「(自分では)やらない」という決断も含まれるということです。

70 外注する

自分でやったりスタッフに任せたりするより、他社に依頼してしまったほうがコストパフォーマンスの良いものについては、外注するのも手です。

弊所では、①**時間単価を大きく下げてしまう仕事**、②**どう工夫してもコストにしかならない仕事**、③**スポットで再現性がない仕事**、のどれかに当てはまるものは、原則として外注しています。

①の時間単価については、前述の通りです（**68**参照）。

②のコストにしかならない仕事とは、電話対応、請求書の印刷・送付作業、領収書の整理といった簡単な事務作業が当てはまります。どう工夫をしても、電話対応にかかる時間や書類整理、請求書の印刷・発送作業は報酬も利益も生み出しません。コストにしかならないのであれば、受電代行のような便利なサービスや、事務作業だけをお願いするパートスタッフなどに即刻外注してしまったほうが、生産性が高まります。

③のスポットで再現性のない仕事とは、例えばセミナー音源の文字起こしや、特定の顧客への個別提案資料の作成といった仕事が当てはまります。その1回しかやらない、あるいはごくたまにしか発生しない仕事であれば、自社のスタッフに仕事内容を説明して任せるよりも、外注してしまったほうが、スタッフへの説明にかかる時間と、スタッフが不慣れなことで余計にかかる時間を削減できるため、コスト的にも仕事のスピード的にも、パフォーマンスがグッと上がることが多いものです。文字起こしも専門業者や専門スキルのある個人が世の中には沢山いますし、資料作成も非常に見やすく洗練されたデザインのパワポ資料をまとめてくれる方が沢山いる時代です。

私もよく、セミナー登壇用の資料は外注して、骨子を作った後は資料作成のスキルのある方にまとめてもらっています。時給1500円ほどで、私が半日を使って資料を作りこむよりもよっぽど見やすくわかりやすい資料が上がってきます。

1回きりで終わる、スキル蓄積のメリットがない仕事に関しては、どんどん外注してしまいましょう。

では、世の中に数多ある会社の中で、外注先はどのように選べば良いのでしょうか。

私は、「人脈のあるところに依頼する」という点を大切にしています。顔見知りの方がいる企業のほうが、こちらの特徴への理解も早く、仕事を進めやすいからです。

もっと安い金額で仕事を受けてくれる会社もあるかもしれませんが、私は外注先と**「行きつけのお店」のような関係性**を作りたいと思っています。「いつもの」と言えば、いつも食べている料理が出てくるような、弊所のことを深く理解して、最適なサービス提供をしてくれる関係が理想です。

馴染みの依頼先に何度もお願いしていると、回数を重ねるほど、よりフィットしたアウトプットを出してくれるようになります。値段も大事ですが、値段には表れない価値を総合的に考えることで、長期的かつ全体的に見て最適な仕事ができていると考えています。

71 依頼を断る基準を持つ

世の中には一定数、断るべき仕事（の依頼）が存在します。

弊所は、基本的には依頼のあった仕事は断らずに引き受けるスタンスですが、ときには断ることもあります。依頼を断る基準としては、3つあります。

1つめは、**価格だけを依頼先選びの指標としている企業**です。商談をしていると、まれに金額の話しかしない依頼者に出会うことがあります。そのような人は、弊所の特徴や提供可能な価値に目を向けておらず、仮に受注したところで、いずれどこかでコミュニケーションエラーが起きてくるものです。私は弊所の価値を感じてくださる方と仕事がしたいと考えているため、価格のみを指標としているような企業からの依頼は、断っています。

2つめは、自社や自分の**ブランディングに悪影響を及ぼすおそれのある仕事**です。コンプライアンス意識の低い企業や、口コミで評判が悪い企業の仕事も、断るようにしています。関与することで、弊所もコンプライアンスに抵触するかもしれませんし、私のイメージが悪化するかもしれません。マイナスの要素が少しでもありそうだと懸念されるときは、依頼を断る勇気を持つことが大切です。

3つめは、時間単価だけでなく、拘束時間などの**条件面で折り合いがつかない依頼**も、無理して引き受けずに断っています。

例えば、研修会社の講師や、記名記事にならないメディアへの寄稿です。特に研修会社の講師は、時間の拘束が非常に長く、固定化されてしまうものもあります。講師業が主軸の方であれば受けても良いと思いますが、私の場合は本業が別にあるため、基本的に断ります。スケジュールの自由度が下がってしまうと、大事な顧客からの緊急依頼に対応できませんし、新しい仕事のチャンスを逃してしまうからです。

どのような基準が適切かは一概には言えませんが、自分なりに仕事を断る基準を定め、基準に満たない場合はきちんと断ることが大切です。

世の中には仕事が沢山ありますから、今依頼を断っても、また新しいチャンスが舞い込んでくる可能性は多分にあります。むしろ、積極的に余裕を作っておいたほうが良いのです。

72

値下げを求められたら提供するサービスを減らす

事務所の代表や個人の士業であれば、仕事を獲得する際に避けて通れないのが「交渉」です。経験が少ないとハードルを高く感じ、うまく交渉できていないことが多いものです。

交渉とは、要するにお互いの利害関係をうまく調整するプロセスといえます。例えば、家電量販店で家電を買うとき、自分としてはなるべく安く製品を手に入れたいところ、量販店のスタッフはなるべく利益が出るように売りたいと思っているはずです。そこで、他店のチラシなどと比較しながら、お互いが納得できる価格やサービス内容に落とし込んでいきます。まさに交渉です。

つまり、交渉とは相手をだましたり、不利益を被るように仕向けたりすることではないということです。普通のコミュニケーションの一環として捉えれば、ネガティブなイメージも薄まるのではないでしょうか。

さて、私のような士業は、顧問先企業などから、ときに価格交渉の末、見積金額を下げざるを得ないときもあります。

私は、価格交渉の末に見積金額を下げるとき、提供するサービスも減らすようにしています。士業職は専門知識を売りにする商売ですので、仕事内容が同一にもかかわらず価格が下がるのは、自分の価値を安売りすることに他なりません。一方的な譲歩などするべきではありません。商談の場における交渉とは、お互いの利益を調整することなのですから、それくらい強い気持ちでいても問題ないのです。

また、私の事務所では、値下げ交渉になった場合、いくつかの代替案を用意・提案します。まず、どうしても値段を下げざるを得ない場合は、値段に見合う仕事量のみを引き受けます。そして、場合によっては、次の仕事に繋がるよう、お引き受けする先の知り合いの企業を紹介してもらいます。あるいは、価格は現状維持で追加サービスをつけることで、合意することもあります。

一度価格を下げてしまうと、その先ずっと低い価格でサービス提供をしなければなりませんが、こちらの理想の価格で契約していただき、最初の３か月だけ追加サービスを提供するというような形であれば、今後は理想の価格でサービス提供を続けることができます。

後者の契約であれば、こちらは疲弊しないですし、相手方も追加サービスを受けられて満足するため、Win-Winで交渉を終えることができます。

金額の交渉時に、報酬は定期的に見直す可能性があることを伝えても良いでしょう。

交渉の場面では、心理テクニックを使うことも有効です。代表的なものとして、最初に控えめな要求から始めて大きな要求の成立を目指す「Foot-in-the-doorテクニック」や、最初に相手が断るであろう大きな頼み事をあえて行い、断った罪悪感から小さい要求を相手が飲むようになる「Door in the faceテクニック」などがあります。

73 Googleアラートで情報収集する

情報収集で重宝するのが、Google社のGoogleアラートというサービスです。

忙しい日々の中で、複数のメディアや情報源に目を通すというのは、意外と時間を要するものです。

Googleアラートは、自分が興味を持っているキーワードを設定しておくだけで、キーワードにまつわる最新情報をGoogleが収集・ピックアップして、メールで通知してくれます。キーワードの設定も非常に簡単で、Googleアラートのページで好きなキーワードを入力して、「アラートを作成」というボタンをクリックするだけです。

業界ニュースや行政の動向など、仕事の関連から最新の話題を逃したくないものについては、キーワードをいくつか登録しておくと良いでしょう。

私は、**社労士業の関係**では「補助金」「助成金」等を、**資格取得関係**では、試験制度の変更や必要な手続きの有無を把握するため「情報処理技術者試験」のように今後受験しようと思っている資格名を、それぞれキーワードとして登録しています。

また、稀に更新される情報について、毎日のように更新を確認するのは時間のムダですから、そのような情報のチェックもGoogleアラートに任せています。

ちなみに、本書を担当した編集者のM氏は、「林雄次」という私の名前をGoogleアラートのキーワードに設定しているそうです。私をはじめ担当している著者の最新動向を逃さないようにして、書籍にフィードバックしたり、打ち合わせでの話題に活かしたりするのだとか。

このように、人名でもアラートを設定できますので、その応用として、自分の名前をキーワードとして、自動的なエゴサーチのツールとするのも良いかもしれません。例えばメディアへの出演や講演会登壇で露出が増えたり、著書が出版されたりした人であれば、意外なところでの反響・引用に気づける可能性もあります。

74 音声入力する

ここ最近の音声入力は、精度が格段に良くなり、非常に便利なツールに成長しました。書くよりも話すほうが圧倒的に速いですし、PCが使える環境でなくても、スマートフォン1つあれば簡単な文章作成が終わるのですから、音声入力を活用しない手はありません。私は日頃から、さまざまな場面で活用しています。

例えば、タスク管理や予定管理です。タスクツールやスケジューラーをいちいちPCで開いて更新していくのは意外と手間になるものですが、スマートフォンで音声入力ができれば、ちょっとした隙間時間でタスクや予定の更新ができます。

また、事務所ブログの下書きなど、ある程度の文量になる文章も音声入力で行っています。キーボード入力で作成するよりも早く完成することがほとんどです。

チャットツールで社内に連絡する際も、音声入力でメッセージを入力すれば数秒で完了します。街を歩いている合間の時間にチャットで事務所メンバーに返信作業をするなど、手持ち無沙汰になりやすいごくわずかな隙間時間を活用して、文章作成系の仕事を1つでも多くこなすようにしています。

音声入力は、**思考の整理**にも向いています。ＰＣに向かって文章を作成しようとすると、思考よりも画面の認識や入力作業のほうに頭がいってしまい、アイデアがまとまらないということになりがちです。事務所ブログのネタ出し、寄稿する記事のアイデア出し、顧問先に提案する企画案の整理など、何か考えをまとめながら文章を作成したいときは、音声入力を活用しています。思いついたことをとりあえず音声入力でバーッと書きだした上で、後からきちんとした文章に構成すれば良いのです。

音声入力を活用する上で、注意点が２つあります。

まず、場所に注意が必要です。文章を声に出す都合上、多くの人が来るカフェのような公共の場所ではできません。機密情報であればなおさらです。

また、ある程度の誤字が生じますので、特に誤字などを避けたい重要な書類等については、手入力のほうが良い場合もあります。

75 ＳＮＳ投稿のマイルールをつくる

ＳＮＳについて、そもそも炎上リスクを避けて「やらない」という選択をする人も少なくないと思います。一理ある考え方です。

とはいえ、ＳＮＳは無料で使える上、発信を続けていればその内容の蓄積が１つの財産になりますので、私としてはやらない手はないと思っています。

ＳＮＳを仕事上のツールとして運用しようとする場合、こまめな確認・投稿やその下準備など、想像以上に時間と労力がかかるものです。いくつもあるＳＮＳのすべてをきちんと運用しようとすると、どれも中途半端でうまくいかなくなってしまうことが多いものです。慣れないうちは、まずは注力するＳＮＳを１つに絞り、そこだけを更新し続けるという状態を目指すと良いでしょう。

最短ルートできちんとした成果・効果を得ようとするなら、ＳＮＳの運用代行・支援のサービスを利用するのも手です。

実際に私の事務所では、Twitterを開始した直後、ＳＮＳ運用支援サービスを活用していました。運用の方向性の決定、伸びる投稿の分析、投稿管理・フォロワー管理、Twitterを活用した戦略づくりなどを、専門家と一緒に行ったのです。その結果、半年ほどでかなりの成果が出ました。

このように、軌道に乗るまでは外部の力を借りるのもおすすめです。

さて、TwitterでもFacebookでも、私と同世代やそれ以上の世代に多いのが、文章をひたすら書いての投稿です。いろいろな情報にあふれている今の時代、文章のみの投稿だけでは、さほど多くの人の目にとまりません。タイムラインの中に写真があるとやはり目を引くものですし、言葉で伝えづらい情景なども写真なら伝えることができます。そのため私は、意識して写真を添えて投稿しています。

私の場合おかげさまで、セミナーや講演の登壇が増えたり、全国各地を飛び回ったり、ワーケーションを行ったりする機会が増えました。そのため、日々同じ業務の繰り返しという人に比べ、「なかなか経験できないことを経験する」機会が多いと自負しています。そのような珍しい経験のときは、意識して写真に収めて投稿するようにしています。そのような投稿は、実際に反響も多いものです。

とはいえ、珍しい経験ばかりを投稿していると、それはそれで「ただ自慢したいだけのアカウント」になってしまいます。目にした人が不快にならないよう、バランス感覚が本当に大切です。

私の場合は、4つのジャンルを**バランスよく投稿**するように心がけています。①食事の写真など「生活が見える普通の写真」、②いろいろな方からすごいと思われる「珍しい経験の写真」、③本や講演に関する「広告・宣伝の写真」、④私というブランドイメージの1つである「資格の合格証やバッジに関する写真」です。

私は、自分のSNSの主なフォロワーとは、資格取得を目指す方、各種士業、メディアの関係者であると分析しています。ですので、これらの人を意識して、1週間単位で①〜④の話題に満遍なく触れられるようにしています。

投稿の頻度にもこだわりを持つと良いでしょう。

特にTwitterは、数秒単位でエンドレスに投稿できてしまうツールですが、思いついたことをポンポンと投稿してしまうのは得策ではありません。多くの人が見ている時間帯がありますから、その時間帯を狙って、朝・昼・夜の３回に分けて投稿するのが効果的です。

私もより多くの人に見てもらえるよう、特にTwitterの投稿は、朝・昼・夜の３回、多いときでも１日５～６回までの投稿と決めています。また昼と夜の投稿は、朝の投稿にリプライをする形で「つなげる」ようにしています。こうすることで、その日の投稿を遡《さかのぼ》って見てもらいやすくなりますし、「いいね」や「インプレッション」が分散しにくくなります。

なお、自分の仕事がＳＮＳ上で評価されたときなどに「リツイート」（リポスト）を多用する人がいるものですが、あれはおすすめしません。なぜなら、アカウントのフォロワーの立場からは、その人に関連する投稿のリツイートばかりが延々と並ぶこととなり、たとえ本人にその気はなかったとしても自慢っぽく見えてしまうからです。リツイートをするなら１日に１～２回程度にとどめるなど、一定のルールを作ると良いでしょう。自分のタイムラインもキレイになります。

76 人前で話すときは3つの目線を持つ

スピーチやオンライン会議など、大勢の人前で話す際には、「3人分の目線を持つ」ことが大切です。自分の伝えたい内容を相手に100％伝えるには、「**自分の目線**」だけでなく、「**相手の目線**」に立って言葉を選ぶ必要がありますし、さらに**「話をしている自分を客観的に見ている自分」の目線**も合わせ持って、全体のアウトプットを整えるとうまくいきます。

セミナーに登壇する場合で考えてみましょう。

セミナーの依頼を受けたときは、配付資料や話す内容など、当日どんなことを伝えるかについて入念に準備を進めるものですが、この事前の準備で私は、伝えたいことを資料や自分用メモにまとめるだけでなく、当日の聴衆（参加者）像を想像しながら、使う言葉を選んでいます。聴衆が若い人なのか、高齢者が多いのかによって、使うべき言葉や挿入する例え話も変わります。若い人が多いのであれば、少しくだけた言葉を使ったほうが親近感を持ってもらえるかもしれませんし、高齢者が多いのであれば、昔流行《はや》ったテレビ番組を例に挙げたほうが話したい内容への理解が進むかもしれません。相手が理解しやすい言葉で、面白いと感じてもらえるように伝えるのがポイントです。

そしてセミナーの当日には、「講演する自分を客観的に見ている自分」の目線も持てれば万全です。いわば演出家・監督としての自分の目線で、セミナーを俯瞰するのです。どんな話し方なら、どんな動きをしたら、自分の理想とする士業の先生として、聴衆の目に映るのか。事前に考えてきた構成とは異なるけれど、みな真剣にうなずいている今のタイミングで後から話す予定のネタを使ったほうが、説得力や理解度が増すんじゃないか――。話をしながら、頭の中で冷静に状況を分析して、このセミナーをプロデュースする自分の目線が持てれば、セミナーのクオリティもグッと高まるというものです。

とはいえ、このような第三者目線を持ちながら話せるようになるには、やはり回数をこなすしかありません。場数を踏むうちに少しずつ余裕が出てきて、自分の話を客観的に判断できるようになります。

なお、人前での話し方を改善したいときは、**自分の話している様子をすべて録音か撮影**しておき、確認することをおすすめします。

自分が話しているデータを自分で確認するというのは、なかなかに恥ずかしく辛い作業ですが、確認しているときは客観的な自分になれますから、改善点も見つけやすくなります。

動画であれば、自分の表情などもよくわかるはずです。少し失敗してしまったとき焦ったような表情をしていたとしたら、その気持ちや動きが聴衆にも伝わっているということになります。自分の話し方で気をつけるべきポイントを洗い出し、次回はそれらを意識すれば、話し方は大きく改善されることでしょう。

人からフィードバックをもらうのも有効です。例えばセミナーであれば、セミナー終了後に参加者から感想を聞いてみましょう。

77 リアルセミナーでは動きと発声に気を使う

リアル会場で開催するセミナーに登壇する際は、参加者に「来てよかった」と思ってもらうことが何より大切です。そのため私は、話す内容以上に、当日の一挙手一投足に気を使っています。

例えば、**聴衆一人ひとりと目線を合わせる**ことを意識しています。大勢の前で話すときには、得てして自分の世界に入り込んでしまったり、多くの目が自分に集中しているのが怖くて目線を泳がせたりしがちですが、それではいけません。「今日のセミナーは、自分のために開催されたのだ」と自分ごとにしてもらえるよう、参加者と1対1で話しているつもりで、目線を合わせ続けながら話すと効果的です。

基本的なセオリーとしてよく言われるのが、会場で目線をZを描くように動かすというものです。後列から手前まで、大きくZの字を意識して目線を動かすことで、一人ひとりと目が合うようになるものです。

さらに、リアルのセミナーでは、話しながら少し動いたり、あえて大きな手ぶりをつけてみたりすると、こちらの熱量や空気感が伝わりやすく、ライブ感を感じさせられるのでおすすめです。

自分が思うほど、大きな身振り手振りには映らないものですから、やりすぎるくらいの動きのほうがちょうど良いものです。当日の熱気をつくるところまで意識できれば、話の内容がどのようであっても、参加者は高い満足度を得られるはずです。

気をつけなければいけない点もあります。会場で自分の声が通るかということです。オンラインセミナーであれば、手元のマイクで声を拾って発信しますから、あまり発声には気を使わなくても問題ないですが、リアル会場ではたとえマイクがあったとしても、**発声には気を使う**必要があります。ぼそぼそと小声で話し、何を言っているかわからないような講師では、セミナーを聞く気もなくなるというものです。

私は、セミナーや講演会の依頼が増えた際、声の通りやすさの改善と、話し続けて喉を傷めるリスクの低減のため、ビジネスマン向けボイストレーニングに通ったことがあります。このときプロに教わったテクニックは、今でも役に立っています。

78 セミナー資料には次に繋がる要素を盛り込む

セミナーや講演で配付する資料について、その内容や分量をどうするのか、なかなか悩ましいところです。もちろん、当日に話すべき内容を盛り込むのは最低限必要なことです。せっかく呼んでいただいた立場として、その場で最大のパフォーマンスを発揮すべきなのは言うまでもありません。

その上で私は、資料に「次に繋げる」要素を入れることを心がけています。そのセミナー等が単発の仕事として終わってしまうのはもったいないので、次回の依頼や、関連する別の仕事に繋がりそうな要素も盛り込んでいるのです。

具体的には、次の３つです。

１つめは、単純に「**分量を多めに入れる**」ことです。資料は配付されるわけですので、口頭ですべてを読む必要はありません。口頭にてポイントが押さえられていれば、実際の時間と資料のページ数とで細かくバランスを調整する必要はありません。むしろ詳しく触れられない部分が残っていたほうが、参加者や開催者にとって気になる内容が見つかる可能性が出てくるので、続編の開催検討に繋がるものです。

２つめは、「**他のテーマもおまけで入れる**」ことです。１つめに似ていますが、関連する他のテーマも参考として、資料の後半に少し入れておきます。こうすることで資料にお得感が出るとともに、このおまけテーマを深く聞きたいということになれば、そのテーマで次回が開催されることもあります。

３つめは「**最後に広告を入れる**」ことです。開催場所や条件によってはできないこともありますが、可能であれば自事務所のサービスなどの告知を、たとえ1ページでも入れされてもらっています。特に、長時間映り続けることが多いスライドの最終ページには、大きくＱＲコードや著書の書影を入れています（「ご清聴ありがとうございました」だけでは非常にもったいない）。

どれも簡単にでき、なおかつ一定の効果が見込めますので、おすすめです。

79 オンラインセミナーでも試行錯誤する

コロナ禍で急増した、Zoom や Microsoft Teams などを使ったオンラインセミナー（ウェビナー）への登壇に、今でもやりにくさを感じている人は少なくないでしょう。実は私もそうです。

オンラインセミナーでは、講師としての空気感も自分が持っている熱量も、リアルセミナーのようには伝わりません。

私は、リアルセミナーよりもさらに挙動を大きくするイメージで、特に強調したい内容を話している際はカメラに向かって少し前のめりになるくらいの勢いで、話しています。それくらい力を入れてようやく、伝えたいことが相手に伝わるのがオンラインセミナーというものです。

オンラインセミナーでは、目線の取り方も悩ましいところです。

私は自分用の参照資料を手元に置かず、ウェブカメラの後ろにモニターを置き、そこに表示して見ることがあります。目線が手元にいくと、参加者からは不自然に映るからです。また、スライド資料を自分の背景として、背後に大きく投影することもあります。リアルのセミナー会場にて、大きなスクリーンの前に自分がいるような見た目になるので、単に資料を画面共有するよりも、ライブ感が増します。

オンラインセミナーについては私もいまだに手探り状態で、模索と改善を繰り返しながら登壇しているところではあります。

オンラインセミナーでは録画が残ることも多いので、登壇後に録画内容をチェックして、自分なりのベストなやり方を見つけたいと考えています。

80

音声配信ではわざとクドい話し方をする

最近では、音声配信をする機会が増えてきました。Twitterでは「スペース」という機能で手軽に音声配信ができるようになりましたし、Voicy、Standfm、Clubhouseといった音声配信専用のプラットフォームも登場しています。

音声配信では、視覚による情報の伝達が一切できませんから、人前で話すのとはまた別の、意識すべきポイントがあります。

私はまず、「頭痛が痛い」というように言葉の重複した、クドイ言い回しで話しています。なぜなら、音声配信を聴く人というのは、仕事や勉強などの片手間で聞き流している人が多いからです。録音したものを実際に聞いてみると明らかですが、音声配信では、正しくキレイな日本語を話してもスッと流れて行ってしまうことがほとんどなのです。逆に、伝えたい内容やキーワードをしつこく繰り返したほうが、ながら視聴のリスナーの印象に残りやすくなります。

仮に、私が「これからの社労士はデジタル化に取り組むことが大切」というテーマを、広く伝えたいとします。

これを文章（ウェブ記事など）と音声配信それぞれの形式にすると、およそ次のようになるでしょう。

◇文章の場合

現在、社労士が担う仕事の領域において、SmartHRやfreeeなどのDXツールにより、人事・労務担当者だけでも業務を完結できるようになりつつあります。そのため、社労士に求められる仕事は、単なる実務代行ではなく、コンサルティングに移行していくはずです。そのような新たな環境に対応するためにも、社労士デジタル化に真剣に取り組むことが大切です。

◇音声配信の場合

今日お伝えしたいのは、社労士も新しい仕事に対応するために、デジタル化に真剣に取り組むべきだということです。

社労士の仕事でも、SmartHRやfreeeといったツール名を聞いたことがある方も多いと思いますが、どんどんDXツールが開発されています。SmartHRやfreeeといった便利なDXツールがあれば、企業の人事労務担当者だけで、社労士が担当していた仕事を終えることも可能です。環境が大きく変わり、社労士が担当していた仕事を人事・労務担当者が自分で担えるようになっているのなら、私たちに求められることも実務の代行ではなくて、コンサルティング機能になるはずなのです。

　コンサルティングという新しい仕事に対応するためにも、私たち社労士は改めて真剣にデジタル化に取り組むべきだと考えています。

　音声配信の場合は、同じ単語が何度も出てきている上に、序盤と終盤で伝えたいことを繰り返しています。文字に起こすとかなり不自然で、しつこい文章ですが、音声だけの場合はむしろわかりやすいのです。

81 音声配信だからといって話し過ぎない

本書執筆の少し前、Twitterスペースを始めました。この新サービスで配信している人が増えてきたため、とりあえずやってみよう精神で、手を付けたのです。

スペースではいまのところは固定テーマを決めておらず、流動的なテーマで配信しています。ツイート（ポスト）で日頃から触れている話題に関連してお話ししたり、逆にツイートではあまり触れない「売上」などに関する話をしてみたりと、手を変え品を変えです。

私にはTwitter上に、既にさまざまな立場の関係者がいますので、スペースで話すテーマもその時々で切り口を変えながら、反応がどのように変わるのかを試しています。これまで、例えば確定申告についてや、出版の話、資格取得の話、僧侶に関連する話など、さまざまなテーマで音声配信をしてきました。中でも「出版に関する話」には、多くの方から反響をいただいたため、今後も少しずつですが続けていこうかと検討しているところです。

とはいえ、音声配信では「すべてを包み隠さず話す」ことはしません。音声配信は内容が文字で残ることは少ないため、「多くの人が知らない、裏側のことまで話そう」という気持ちになりやすいものですが、いろいろな人が参加するSNSである以上、自分の中に**「何を話し、何を話さないか」という基準**を持っておくべきです。

出版に至るまでの苦労話はするけれど、印税のパーセンテージは明かさない。編集者の方から声がかかった顛末《てんまつ》は話すけれど、書籍出版の契約手続きに関しては話さない――。

自分の話を聞いたリスナーが、自分にどんなイメージを持つかといったことをよく考えて、話すテーマや線引きを決めると良いでしょう。

なお私の場合、いち士業に過ぎない自分の話をどれだけ多くの人が聞いてくれるのか未知数だったのですが、実際には想像以上に参加してくれる人に恵まれました。どうやら、私のTwitterのフォロワー数が増えるにつれ、当初から交流のあった方々にとっては「Twitter上で絡みづらい人」になってしまっていたようで、スペースはそのような方々にも参加いただけたようでした。

82

台本を作らない

人前で話すことに苦手意識のある人がよくやってしまうのが、話す内容を一言一句まとめた台本の作成です。

この方法は、人前で話すのが得意ではない人こそ、おすすめできません。

なぜなら、そのような人は、台本を読み間違えたときに「失敗した」と動揺してしまい、そこからさらに失敗を重ねがちだからです。

さらに、台本があることで、その中身を完璧に読もうとしてしまいますので、よほど訓練を積んだ人でもない限り、「読んでいる感」が強く出た話し方になってしまうからです。

読んでいる感が強い講演ほど、つまらないものはありません。

大学の講義でも、レジュメをひたすら読み続ける教授より、学生の反応を見ながら雑談を交え、アドリブで話してくれる教授のほうが人気があるものです。

これと同じように、私はセミナーでも音声配信でも、人前で話す際には、事前に準備したものを音読するようなことはしません。講演会であれば、レジュメと目次を目の前に置いて軽く見ながら、オンラインセミナーであれば、モニターにスライドを映しながら、今日話したいことの要素を把握だけして、あとはアドリブで話すことを心がけています。このやり方のほうが、より伝わる話し方ができます。

そうはいっても、話の要素（項目）を簡単にまとめるだけでは不安という人は、その項目をさらに細かく分け、箇条書きにて書きだしておくと良いでしょう。「大項目➡中項目➡小項目」くらいでまとめておけば、緊張で話すことを忘れることもないですし、自分の言葉で話す余地も残されていますから、より伝わる話し方ができるはずです。

83 文章を書くときは想定読者の姿を思い浮かべる

人前でうまく話せるようになるためには場数が大事なのは、前述の通りです（**76**参照）。文章についても、やはり数をこなすことで、より上手に書けるようになります。

私自身、中学生時代まで遡ると、かなりの分量を書いてきました。今はTwitterやnoteなどで、誰でも手軽に文章の練習・発表ができますから、文章力に自信のない人も、日頃の生活の中で書く練習を積んでみると良いでしょう。

書くときによく忘れがちなのが、「誰に向けて」その文章を書いているのかということです。文章を書くという作業は基本的に1人で行いますし、セミナーなどと違って執筆時点では読者の姿が見えません。独りよがりになりやすいからこそ、**ペルソナ**（**想定読者**）を思い浮かべて書く必要があります。常に具体的な読者像を念頭に置き、その人に向けて手紙を書くイメージで、内容を構成し、言葉にしていきます。

私は執筆だけでなく、メディアから取材やインタビューを受ける際も、この「読者層をイメージする」ことを大事にしています。取材依頼では、必ず何かしらの企画書が送られてきます。そこには読者層や企画意図などが書かれていますから、それらを事前に読み込んでおき、紙面に載った記事をイメージしながら、ライターや編集者にお話しする内容を組み立てています。

そのように準備をしておくと、新たな仕事や次回の取材依頼など、次に繋がりやすくなるのです。

最近も、ある週刊誌の取材を受けたのですが、その後、その記事を見た別のメディアから新たな依頼がありました。**受け身で取材されるのではなく、一歩踏み込んだ努力**をしたことが実ったのだと思っています。

84
作ったコンテンツを使いまわす

士業や資格者の仕事では、さまざまな場面でコンテンツを作成するものです。提案書、セミナーのスライド、講演資料、YouTube用の動画、ＳＮＳの投稿などなど、作成する種類もさまざまです。

これらをすべて「書き下ろし」で新しく作っていては、いくら時間があっても足りません。そこで、一度作成したコンテンツは、上手に使いまわしましょう。

作成＆使いまわしには、大きく２パターンがあります。

１つは、「大きいものから順に」パターンです。これは、一番時間が長かったり大きなコンテンツから作成するというものです。例えば、

❶長時間のセミナー資料を作成
❷セミナーを録画して動画コンテンツとする
❸資料を抜粋して提案書とする
❹さらに抜粋した「チラ見せ」内容をＳＮＳ投稿

というように作成するわけです。最初の❶さえ作成してしまえば、あとは比較的簡単なの

で、スタッフなどに任せることもできるかもしれません。

自分に十分な経験があり、最初にある程度のボリュームのコンテンツを作れる場合は、このパターンがおすすめです。

もう1つはこの逆で、「小さいものから順に」パターンです。例えば、

❶ SNS投稿（「〇〇を作りますが、どんな話を聞きたいですか？」と題材収集（アンケート）を兼ねる）
❷ 提案書など短めの資料を作成
❸ 内容を厚くしてセミナーコンテンツにする

といった流れです。

自分にとって不慣れな内容・分野で、少しずつ習熟したい場合におすすめです。

85
パソコンは3年以内に買い替える

今や誰もが、仕事でもプライベートでもＰＣ（パソコン）を使っている時代ですが、スマホと異なり、ＰＣの機種やスペックにこだわっているという人は、あまり多くはないでしょう。専門性の高いソフトのユーザーでもない限り、WordやExcel、インターネットブラウザさえ動けばいい、という人が大半のはずです。

しかし、生産性を高めてより良い仕事をするためには、ＰＣもしっかりと考えて選ぶべきです。特にスペックに関しては、購入時点で最も良い、最新機種を買い求めるべきだと私は考えています。

そもそもＰＣというものは、使用期間が長いほど、動作が遅くなります。仕事用ＰＣが遅いと感じたら、それはすでに仕事に支障が出ており、動作の遅さが生産性を下げているといえます。そうなる前に、早めに買替えの検討を始めれば、**常に最適なコンディション**でいることができます。

またこまめな買替えは、ＰＣの不具合を減らし、さまざまなリスクの軽減・回避に繋がります。

私は士業の仕事において、個人情報、行政への各種申請書類、企業の決算書類など、重要なデータを扱います。また、給与支払業務など、期日までに絶対に完了しなければならない仕事も多くあります。

もし、ＰＣが壊れて期日までに手続きを完了できなかったり、ＰＣが脆弱だったために重要なデータが盗まれてしまったりすれば、一大事というものです。顧問先にも大きな迷惑をかけてしまいます。

ＰＣは古くなるほどこれらのリスクが高まりますから、特に仕事で使用するＰＣは、いつまでも旧機種を使い続けるべきではありません。一度、最新機種に買い替えたら、２〜

３年経ってもそこまで大きなトラブルは起こらないはずです。

私の場合は、購入から２年が経過した段階で新機種購入の検討を始め、３年が経過するまでに買替えを完了させます。各メーカーの直販サイトからの情報収集は定期的に行っており、新モデルが発表される春と秋には最新機種のチェックを欠かしません。私はこのサイクルで何台も買い替えてきましたが、これといって困った経験はありません

ＰＣの買替えにあたり、もし最新型のハイエンドモデルが高すぎると感じたときは、半年前の型落ちモデルも狙い目です。多少お得な価格で、最新機種と機能のさほど変わらないモデルを入手できたりします。

ＰＣの買替えについて、「いまのＰＣがまだ使えるのに、もったいない」と感じる人もいるでしょう。違うのです。

私は、現在使用しているＰＣを、買替え直後に処分せず、予備機として待機させておいています。これにより、万一、新しいＰＣにトラブルがあった際も、ただちに対応できます。いつも使用しているソフトやシステム類もそのまま残しておけば、トラブル下でもストレスなく普段通りの仕事ができるでしょう。

なお、ディスプレイ（モニター）については、多少低スペックでも問題ありません。むしろ、低スペックなものを購入したほうが賢明なくらいです。解像度が高すぎると、ＰＣに負担がかかり、動作が遅くなることがあるからです。

ＰＣや機器について詳しくは、拙著『社労士事務所のＤＸマニュアル』（中央経済社、２０２２）をご参照ください。

86
ＰＣセットアップはマニュアル作成のチャンス

買替えや買増しで新しいＰＣを設定するときには、並行して行うべきことがあります。それは「設定マニュアルの作成」です。

ＰＣのセットアップは頻繁にある作業ではないので、その場限り＆手探りで設定することが多いのではないでしょうか。

その結果、インストールすべきソフトが漏れていたり、設定の不足に後から気づいたりすることになります。これでは、３年ごとに端末を買い替えようと思っても、買換えのたび効率が下がり、ストレスにもなります。ＰＣの初期設定のように頻度が低い作業こそ、それを行うタイミングでマニュアルにまとめておくべきなのです。ちょっとした手間をかけるだけで、次回以降が驚くほど楽になります。

弊所には私が使用しているＰＣだけでなくスタッフのものもあるので、セットアップの頻度は年1回以上になります。毎回手探りで作業するのは、意外なほど大きなロスなのです。

このような事務所内のマニュアルは、外部に見せるためのものではなく、自分たちさえわかれば良いのですから、形式や体裁にこだわる必要はなく、テキストファイルでも何でも良いでしょう。ただし、わかりやすい場所に保存したり、クラウド上にバックアップするなど、大事なときに使えないということのないよう気をつけましょう。

87 マルチキャリアを徹底する

モバイル端末やクラウドサービスが発達するとともに、高速大容量のインターネット接続環境が安価になったことで、外でも仕事がしやすくなった昨今。スマホなどのモバイル端末を複数持ち歩く人も、珍しくなくなりました。

端末を複数所持するにあたって気になるのが、マルチキャリアです。

マルチキャリアとは、複数の通信事業者の回線に接続できるようにすることです。

スマホなどに差し込むＳＩＭカードは、通常１枚しか入れられません。しかし、２枚入れられるなどマルチキャリア対応の端末を利用すると、複数の回線を使い分けることができます。ただ、これは端末の選択肢が限られてしまうのと、１台の端末にリスクが集中するので、あまり推奨できません（バッテリー切れや故障の際の影響が大きい）。

私が実行しているマルチキャリアの環境づくりは、非常にシンプルです。次のように、端末ごとに異なるキャリアを利用し、基本的には主要キャリアがすべて使えるようにしています。

● PC（SIM内蔵可能モデル）⬇ ソフトバンク
● スマートフォン ⬇ NTTドコモ
● モバイルWiFi ⬇ WiMax & au

3契約分なので相応にコストはかかりますが、チャットやメールなどのやり取りにインターネット回線は必須であり、仕事上の生命線ですので、やむを得ないと考えています。コストを抑えたい場合には、格安のキャリア（MVNO）を利用しても良いでしょう。

複数の契約をしておけば、地下など繋がりにくい環境でもどれか1つくらいは使えることが多いですし、それでも全回線が繋がらなければ「仕方ない」と諦めがつきます。いつ、何が起きるかはわかりませんので、十分な備えをしておくことが必要だと思っています。

88 いつでも電源を確保する

通信環境と同様、重要なのが電源の確保です。電池切れでは、どんなに高性能な機器も役に立ちませんので、私は状況に応じた充電器の準備を怠りません。

❶ 小型の充電器（常時携帯用）

常に持ち運んでおいたほうが良いのが、小型の充電器です。

私は、1～2メートルほどの充電ケーブルとともに、ほぼ常に持っています。

外出先で作業することがあったとしても、短時間ならPCやスマートフォンのバッテリー残量で対応できるでしょう。急に長時間使うことになったり、知らぬ間に機器に大きな負担がかかって残量が少なくなっていることもあります。そういった場合に備えて、念のために、持ち運びが負担にならない小型の充電器があると安心です。

緊急時を除き使わないので、なるべく小型・軽量で、機器1台を充電できるもので十分です。

❷ バッテリー内蔵の充電器（長時間作業用）

あらかじめ外出中に長時間の作業が予定されている場合には、バッテリー内蔵の充電器を持ち歩きます。

出先でコンセントを使える保証はありませんので、バッテリー内蔵である必要があります。このタイプの充電器は少し大きく、重いので、あらかじめ予定しているときだけ持ち歩くのが賢明です。

なお、このバッテリー内蔵の充電器を持ち運ぶ場合でも、❶小型の充電器も念のため携帯します。コンセントが使えても形状が合わない場合や、故障の場合の備えになるからです。

❸ 非常用電源

持ち歩く必要はないのですが、事務所や自宅に大型のバッテリーを搭載した電源を用意しておくと万全です。使う機会がないことを祈りたいものですが、災害はいつ起きるかわかりません。念のために用意しておけば、万一のときにも数日間はモバイル端末を利用できますし、製品によってはコンセントが付いていて電化製品を動かせるようなものもあります。

89
スマホだけで仕事を片付ける

世代によって異なるかもしれませんが、まだまだＰＣがデジタルツールの中心という人も多いことでしょう。かくいう私自身もその１人ですので、それ自体は全く問題ありません。

いかにスマホやタブレットが高性能になっても、ＰＣの処理性能のほうが高いのは言うまでもなく、キーボードや大きな画面なども相まって、スムーズに作業を進めやすくなっています。

何かと便利なＰＣですが、弱点があるのも事実です。性能の裏返しですが、一定の大きさがある（かさばる）がゆえに、使える場所が限られます。混雑して座れない電車やバスなどの公共交通機関では、ＰＣ作業など現実的ではありません。

また、高性能であるためバッテリー消費も大きく、スマホやタブレットに比べると稼働時間が短い傾向にあります。

こういった弱点をうまくカバーするため、よりコンパクトなスマホやタブレットを使って（理想はスマホだけで）、ＰＣで行っている仕事を片付けられるようにしておくと良いでしょう。例えば、メールで受信した資料をクラウドストレージに保存し、チャットで作業の指示をするといった一連のフローが、スマホでもＰＣ同様に操作できるか、実際にやってみるのです。ちなみに筆者は、電子申請などもスマホだけでできるようにしています。

多くのＩＴサービスでは、スマホ向けのアプリが提供されている時代です。スマホで作業するには当然、まずそれらのアプリのインストールや設定が必要となります。アプリの提供がないものは、ブラウザ上でどこまで操作できるのかを把握しておく必要もあります。

本当に必要に迫られた緊急事態で、これらを行っていては全くの手遅れです。そのため、ＰＣを使わずにあえてスマホだけで仕事をする練習をしてみることをおすすめします。

そのうち準備すればいいや、などと思っているとすぐに忘れてしまいます。いざというときに慌てないよう、また日常のちょっとした隙間時間を活かせるよう、スマホ仕事術に取り組みましょう。

なお、スマホは通知で気が散りやすいので、資格などの勉強ツールとして使用の際は特に、通知設定に気を使う必要があります。

90 「自動化サービス」でウェブサービス間のコピペを不要にする

カレンダーや、ＴｏＤｏリスト、メールなど、今やさまざまなツールがウェブサービスで提供されています。多くのページを同時に開いた結果、ブラウザのタブが見えないくらいに細かくなってしまうという人も少なくないのではないでしょうか（私自身もその１人です）。

多くのこのようなサービスを使っていると、同じ内容をあちこちで登録するようなケースが生じます。カレンダーに登録した予定を、忘れないようにＴｏＤｏリストにも記入するといったことです。

このようなケースで、いちいちコピペで対応している人がいるならば、すぐにでも自動化サービスを使っていただきたいです。時間がもったいないですし、ミスや漏れのおそれがあるからです。

複数のウェブサービスを連携させ、操作を自動化できるサービスを使えば、カレンダーに記入した予定を自動的にＴｏＤｏリストにも登録できます。このような組合せを自分で作ることができますので、重要なメールをＴｏＤｏリストに登録するなど、使い方は無限大です。

以下は、執筆時点で代表的な自動化サービスです。

- IFTTT（イフト）……定番。英語のみ。
- Zapier（ザピアー）……連携サービスの対応範囲が広い。英語のみ。
- Microsoft Power Automate……日本語化されている部分が多い。
- Zoho Flow……トップページやフロー作成の説明は日本語化されている。

いずれも無料で試すことができますので、実際にやってみて、比較・検討すると良いでしょう。

第4章

僧侶資格からの学び

91 資格勉強を続けていたら仏教に行きついた

あなたの身近に僧侶の方はいらっしゃいますでしょうか。多くの場合、いないのではないかと思われます。私自身もその1人でした。

仏教やなんらかの宗教との関わりというのは、現代社会では希薄になっているということに、異論はないでしょう。

その一方で、日本文化の中には、仏教の影響があちこちに見られます。1年間でみれば、初詣にはじまり、お彼岸やお盆があり、年末には除夜の鐘をつきますが、いずれも仏教に繋がりが深いものです。また、神社仏閣に足を運ぶことは、明確に信仰を持っていなくても多くの人がしていることでしょう。さらに、「挨拶」「ありがたい」などのように、仏教に由来があるとされる日常用語も数多くあります（諸説あり）。

このように、私たちが普段意識していなくとも、**既に仏教は身近にある**わけです。

さまざまな学びが、国語、算数、理科、社会など科目として分かれるずっと昔、中世では、比叡山が現代の大学のような場所でした。国内の秀才が一同に集まる最高学府であり、大きく仏教の中にさまざまな学びがあったのです。

しかし、歴史的背景などから、現代の日本では一般的な学校教育では宗教について学ぶ機会が失われています。根っこや幹として仏教がありながら、表面的に分かれた枝葉だけを学んでいるのは、不自然・不利なことではないか。多数の資格試験を受け続けるなかで、私は次第にそんなふうに思うようになりました。

もしかしたら、自分自身のさまざまな知識が、仏教を学ぶことによって相互に繋がり、また一層深まるのかもしれない。そんな風に思い立ったのが２０２１年頃のことです。僧侶になる方法を調べて、学ぶ場所を見つけ、翌年春から１年間の学びを経て、得度《とくど》して（**93**参照）、僧侶となったのです。

誤解を恐れず言えば、私の持つ多くの資格に「僧侶資格」が追加されたとも言えますし、１つの宗教に入信したとも言えますが、そのような表層的なことだけではなく、私は**学びの根本に位置するもの**として仏教を捉えています。近年ではマインドフルネスなど、今この瞬間に対して集中するための考え方としても活用されているように、仏教はこれからますます注目されるのではないかと思っています。

92 僧侶になるまでに学ぶこととは

僧侶になるまでに具体的にどんなことを学ぶのか、よく質問されます。あくまで私のケースでは、次のような感じでした。

まず、前提として、どの**宗派**の僧侶になるのかを選ぶ必要があります。

一部の学校では、最初に全体的なことを学び、その後に宗派を選べるようですが、一般的には宗派ごとに学校が分かれていますので、そもそも宗派の違いについては、事前に独学で理解しておかなければなりません。

私が選んだのは、浄土真宗大谷本願寺派の東本願寺別院である本願寺眞無量院が運営する、「宗学堂」という学校でした。お寺（東本願寺）そのものは京都にありますが、宗学堂の講義は東京でも受講できる他、オンラインでの受講も可能になっています。私は都内へ通う形式を選択しました。

宗学堂は寺族（代々お寺を運営している人）ではない者にも門戸が開かれており、1年の初等科を終えると、得度（僧侶になること）が可能になります。「仏教入門」「真宗入門」「初級声明」の3科目、それぞれ週末に2時間弱の授業が10回あり、レポートや学科および実技の試験、面接を経て、1年間の課程が終わります。通学（?）は月3回程度ですし、夏と冬は1か月の休みもあります。ちょっとした趣味プラスアルファくらいの時間をかける程度で、仕事をしながらでも学べました。

各科目の中身も、簡単にご紹介しましょう。

「**仏教入門**」では、仏教の起こりから日本に仏教が入ってくるまでの変遷など、仏教全体について学びました。一口に仏教といっても、その考え方には歴史的な変遷があり、現在においてもさまざまな宗派があるわけですので、その全体像を学ぶことは非常に興味深かったです。例えば、仏教の起源であるインドでは、一度ほぼ仏教が途絶えてしまって今もマイナーであることなど、知っているようで知らないことが多いものだと思いました。
翌年の中等科に進むと、「仏教入門」は「仏教学」となり、各宗派の考え方の違いを詳しく学んでいくことになります。

「**真宗入門**」では、浄土真宗の歴史や、開祖である親鸞聖人について学びました。どの宗派でも、必然的に所属宗派のことは詳しく学ぶことになるわけですから、自分自身の考え方に合う宗派を選んでおかないと辛くなってしまうことでしょう。私にとっては、厳しい修行があるわけではない浄土真宗が、実際に合っているなと思いました（形のある修行がないということは、かえって精神的な部分を問われるということでもあるので、単に浄土真宗がラクという意味ではありません）。

翌年の中等科では、「真宗入門」から「真宗学」となり、浄土真宗の代表的な書物やお経に書かれていることを学んでいくことになります。

「**初級声明**」では、いわゆるお経の実技を中心に学びます。最初はうまく読経できないものですが、続けていくうちに上達するものです（ただし、声明については授業だけでは時間が足りず、家でも時間を取って練習する必要がありました）。数年前まではお経など無縁であった私ですが、今では我ながら、それなりの形になってきたのではないかと思っています。

翌年の中等科では、「中級声明」として、読むお経のラインナップが増え、徐々に難しいものにもチャレンジするようになります。

これら受講は、週末の短時間だけではありましたが、1か所の学び舎に集まって授業を受けるというのは、私にとって大学生以来の経験でした。同級生は結構な年上の人が多いので、そこは大学とは似ていませんが、いずれにしろ執筆時点の今でも楽しく過ごしています。学習内容的には驚きに満ちていますし、貴重な経験ができてありがたい限りです（欠席した授業や復習したい授業は動画で視聴できるなど、デジタルに対応した部分があるのも面白いです）。

93 僧侶になる「得度」とは

既に登場していますが、僧侶になることを「得度《とくど》」といいます。「度」というのは「渡る」という意味で、つまり得度とは「渡りを得る」ということになります。仏教に出会って彼岸（悟りの世界）に渡る機会を得られたということです。

転じて、悟りを求めて仏道の修行に入ることを得度といい、その儀式を「得度式」といっています。

得度式は、どの宗派・寺院でも原則として非公開で、秘儀として行われます。大まかには、仏法に帰依するという宣誓➡髪の毛を剃る「剃髪」➡仏弟子としての名前（法名）と袈裟を授かる、といった流れで、1日をかけて行われます。

なお、剃髪については宗派などで異なります。私の場合、得度式のときだけ剃髪しましたが、その後は髪を伸ばし、すぐに元の髪型に戻っています。

得度によって僧侶の装束を着て良いとなると、たとえ僧侶としての経験が浅くとも、見た目には立派なお坊さんになってしまいます。万一何か悪いことを企てたり、世間に後ろ指を指されたりすることがあったら、一大事です。そこで、得度式の前には各種の書面で誓約をして、審査を受けることになります。

得度すると、仏弟子としての名前である「法名」（「戒名」ともいいます）をいただきます。亡くなってからいただく名前と思われがちですが、**本来は生前に授かった名前**を使うものなのです。生前そういった機会に恵まれなかった場合には亡くなってから付けるということが、現代ではスタンダードになってしまっています。

私は「釈《しゃく》　覚諭《かくゆ》」という法名を授かりました。「釈」は、お釈迦様の字を一文字いただく形を取ったもので、浄土真宗では共通で最初が釈（女性の場合は釈尼）です。

あとの2文字については、1文字だけ希望を出せるということでしたので、自分の名前（雄次の「ゆ」）を別の字にあてて、「諭」をお願いしました。聞き入れていただけるとは限らないのですが、希望が叶ってよかったです。

もう1文字の「覚」は、浄土真宗の3代である覚如《かくにょ》上人のお名前から付けていただいたものです。畏《おそ》れ多いのですが、結果的に大変立派な法名になりました。それに恥じない行いをしなければと思っています。けして、物覚えが得意になるように、ということで希望したのではありません（笑）。

94 期待しすぎない

「四苦八苦」は、非常に大変な状況を指す四字熟語として、日常で使われることもある言葉です。この四苦八苦は、実は仏教用語ということをご存知でしょうか。

仏教では、人が生きる上で避けて通れない苦しみとして、代表的な4つ（四苦）と、さらに追加の4つ（合計して八苦）が、挙げられています。

- **生**《しょう》……人は生まれる場所や条件を選べない。生まれることが、今生における全ての迷いのきっかけ。
- **老**《ろう》……人は必ず老いる。若くて楽しかった日がいつまでも続くわけはなく、体が言うことを聞かなくなる。老いから逃れることはできない。

●**病**《びょう》……人は常に健康でいられるわけではなく、さまざまな原因によって病む。若くとも、辛い目に遭うことがありそれは逃れられない。

●**死**《し》……命には必ず終わりがやってくる。神仏に祈っても何をしても、最終的には亡くなる（以上で四苦）。

●**愛別離苦**《あいべつりく》……大切な人や愛する人がいても、いつかは別れなければならない。

●**怨憎会苦**《おんぞうえく》……どうしても好きになれない、嫌いな人や憎い相手にも、会わなければならない。

●**求不得苦**《ぐふとくく》……求めるものが手に入れられない。

●**五蘊盛苦**《ごうんじょうく》……自分自身の体や心があるから生まれるさまざまな苦しみ。生きているからこそ、さまざまな苦しみが次から次に生まれ続ける（以上で八苦）。

生まれるところから苦しみであるということに始まり、なんともネガティブな考え方と思えるところです。

ですが、このようにあらゆる苦しみが実際にあると認識することで、人生が変わるのだと、私は理解しています。

例えば、自分の人生がかかった大学受験や国家資格試験等にて、あと1点というところで合格を逃したとしましょう。往々にして、自分は運が悪い、世の中不条理だなどと思うものですし、自分の人生がうまくいかないことに苦しむこともあります。

しかし、はじめから人生は大変なこと（四苦八苦）だらけなのだと認識できていれば、**自分が成し得たことにこそ注目・感謝**して、次に繋げられるのです。

他人に対して、世の中に対して、都合の良い一方的な期待をしていても、その期待が裏切られたと感じて辛い思いをすることになるだけ。むしろ、人生は苦しみの連続と肝に銘じていれば、仕事にも勉強にもストイックに打ち込めるようになりますし、良いことがあったときに心から感動・感謝できるのだと、私は考えます。

期待しすぎないことは一見ネガティブなようで、実はポジティブに考えるために大事な心がけなのです。試験ごとに限らず、うまくいかないな思い悩んだときは、四苦八苦の話を思い出していただけたら幸いです。

95 自力と他力

仏教にはさまざまな宗派があることは、ご存知の通りです。各宗派ごとにいろいろな特徴があるのですが、大きく２つの考え方があります。それは「自力」と「他力」です。

自力というのは、修行などを通じて、文字通り「自分の力で悟りを目指す」という考え方です。

お釈迦様（仏陀）は、断食など非常に厳しい修行を重ねました。それと同じくらい厳しい修行は無理だとしても、少しでも近づきたいと考えるのは、僧侶として自然なことです。そこで、自力の考え方のもとでは、修業を重ねていきます。

自力は、仏教が始まって以降の基本的な考え方のグループです。国内の宗派では、天台宗、真言宗、曹洞宗、臨済宗など大半の宗派がこちらに該当します。

では、もう一方の**他力**とは、何でしょうか。「他力本願」という四字熟語がありますが、まさにこの考え方です。ただし、仏教的な他力は、他人に助けてもらうということではなく、阿弥陀如来のお力で助けていただくということです。

たしかにお釈迦様は、修行の末に悟りを開かれたのですが、それは命を危険に晒すような、本当に厳しい修行の末、ようやくです。また、極端に厳しい修行生活からは極端な心や考え方が生まれると気づき、修行を中断した後の瞑想の最中に悟られたともいいます。そうであれば、厳しい修行で悟るのは難しいとも考えられます。

このような考え方に基づき、ちっぽけな自分の力ではなく、仏様（阿弥陀如来）の力によって救っていただくというのが、他力なのです。宗派としては、浄土真宗や浄土宗が該当します。

私は浄土真宗に属する身ですので、他力の考え方に基づく立場です。しかし、だからといって自力という考え方を否定するわけではありません。むしろ自分の力で一定の実績を出してきたという自負もあり、自力に共感する部分もあります。

なにより、**自力と他力という考え方**を知って、同じ仏教でもこんなに違ったアプローチがあるのかと本当に驚かされました。つくづく世の中にはいろんな考え方の人がいるものですが、それもなんら不思議でないと思えるようになりましたし、私の意見にそぐわない人に出会っても許容できるようになりました。

自力と他力、どちらが優れているということはありません。どちらも、それぞれに根拠がある考え方です。同じように、日々の暮らしの中でもお互いの立場を尊重し、認め合いたいものですね。

96

すべては変化していくもの

私が講演等にて、仏教の教えを交えてお話するときに、1番よく使うのが、「**諸行無常**」という言葉にまつわるお話です。

この言葉は、平家物語の語りに出てくることで有名ですが、実はこれも仏教の基本的な考え方です。あらゆるものは変化していくので、変わらないものはないという趣旨です。

仏教では、あらゆるものはさまざまな関係性（因縁）の上に存在していると考えます。時間が止まらないものである以上、一瞬一瞬は異なるので、**すべての存在は一瞬たりとも同一のままではありません**。

なお、この「すべてが関係性の上に存在している」というのは、相対性理論にて説明が可能です。同様に諸行無常についても、量子力学では万物を構成する要素の素粒子にすら寿命があることがわかっていることから、やはり理論的・科学的な説明が可能です。

このように、誰もが知っている古くからの言葉でありながら、現代の科学的な理論で裏付けが可能というのが、まず気に入っているポイントです。

そしてなにより、内容的にも、極めてシンプルな言葉の中に真理が詰まっていると感じます。

すべてが変化していくというのは、至極当たり前のことを言っているようですが、私たちは本当に、この真理を理解して生きているのでしょうか。私たちは何事でも、「今」が明日も来月も続くことを前提に、「明日はこうしよう」などと考えたり計画したりします。自分自身ですら、明日はどうなるかわからない諸行無常の存在であるのに、ついつい今日の延長線上で物事を考えがちです（このような傾向を「心理的ホメオスタシス」ということもあります）。ついつい私たちは、変化よりも現状維持を良しとし、不変のものがあると信じたくなってしまいます。

ビジネスの世界では、よく「停滞は後退」というようなことが言われるものですが、仏教においては千年以上も前から、同じことを指摘しているのです。

ですから、**「すべては変化の上にある」という前提**をなるべく忘れないようにすることが大切です。そうすることで、今この瞬間を一生懸命に、一層大事に過ごせるようになります。そして、そのように日々を大事にし少しずつ良くしていけば、良い変化を大きく育てられるでしょう。

私が毎日「もうひと頑張り」できているのも、今を大事にするという、諸行無常の教えのおかげなのです。

97 行動の結果としての報い

「因果応報《いんがおうほう》」は、「行動の良し悪しに応じて、報いが自分に返ってくる」という言葉です。「何か悪いことが自分に起きたのは、自分の行動が悪かったせいだ」という、自業自得と同じ意味と誤解されることもありますが、本来は、良いことも悪いことも、自分が受けた結果は自分の行動に起因するという、仏教の教えです。

あまりに当たり前で、シンプルですが厳しくもある教えです。結果を受け入れるのならば、何をしてもいいけど、知らないよということであり、今の言葉に置き換えるならば「自己責任」ということになるでしょうか。

この因果応報は、さらに「因果」と「応報」の2段階に分解して考えられます。

● 因果（原因と結果）

「因＝原因」「果＝結果」であり、つまり因果とは原因と結果を意味します。どんな結果にも必ず原因があり、原因なくして起こる出来事などないということです。偶然に期待するな、と言えるかもしれません。

・早く帰った（原因）から、家でゆっくりする時間があった（結果）
・しっかり勉強しなかった（原因）から、試験が不合格になった（結果）

というように、原因と結果には必ず関係があります。結果に期待したいのならば、それ相応に、原因としての行動が必要というわけです。

●応報（原因に応じた報い）

原因に応じた報《むく》いが現れることを意味するのが、応報です。因果が直接的な内容であるのに対し、応報は自分が受ける影響です。報いと聞くと悪いことのみのように思えるかもしれませんが、良いことも含まれます。

・ゆっくりする時間があった（原因）から、気持ちよく家族と過ごせた（報い）
・試験が不合格になった（原因）から、大切な資格が取れず後悔した（報い）

いずれにせよ、因果応報で説かれているのは、「**他責ではなく自責**」というスタンスです。

私が強調したいのは、自業自得的なマイナス面ではなく、むしろプラスの面です。やるべきことをちゃんと行えば、結果は自分に返ってくるのです。

まずは、何事も自分ごととして捉え、人のせいにしない。その上で、結果を得るために努力することが大切です。

98
ご縁を大事にする

日常では「縁起が良い（悪い）」という言葉がよく使われるため、「縁起」と聞くとジンクスのようなものに思えるかもしれませんが、本来の意味合いは異なるものです。直接的な原因と結果が「因果」であるのに対して、間接的な諸条件とそれによる影響が「縁起」とされます。「ご縁」という言葉こそ、まさに縁起の指すものです。

何故かわからないけれど、ある人と出会ったのであれば、間接的にでも何かの繋がりがあったという考え方です。「風が吹けば桶屋が儲かる」なんて諺もありますが、意外なところに影響が出るという因果関係というものも、ときにはあるのでしょう。諸行無常である世界の中で、出会っただけでも奇跡と言えるのかもしれません。また一期一会とも言うように、**同じ出会いはまたとない**ものです。

私は日々、せっかくの出会い（ご縁）に感謝して、何か自分が相手のお役に立てることはないかなと考えるようにしています。

誰かと何らかの関係を持ったのであれば、縁あってのこと。自分ができることには限りがありますから、ご縁を持てた範囲にはできる限りのことをしたいと思っています。

99

お釈迦様のように、自分と向き合う

自力と他力の項（95参照）の通り、お釈迦様は、厳しい修行を中止した後に、瞑想の中で悟りを開きました。

今から2千年以上前のインドでは、厳しい修行こそが煩悩を滅するために重要とされていました。そのため、お釈迦様も当初は、何度も死に直面するような厳しい修行を行ったのです。苔やわずかな水しか飲まない節食や断食、呼吸を止めるなどさまざまな苦行を、６年にわたって行いました。なお、このときの骨と皮だけになったような姿を像にしたのが「苦行釈迦像」という仏像で、その苦行の厳しさを現在の私たちに伝えています。

その後、極端な行いからは、極端な思いしか生まれないという気づきを経て、厳しい修行を中止した後に瞑想の中で悟りを開いたのです。もちろん修行も経緯としては意味があったのでしょうが、結局のところ自分の中に1番大事なものがあったということになります。

私には、このお釈迦様の悟りのエピソードは、**周囲に流されて自分を見失うことなく、自分に向き合うことの大切さ**を教えているように思えてなりません。

インターネットの発達により、非常に多くの情報にさらされている私たちは、外部から影響を受けやすい環境にあります。ＳＮＳ上には、有名・無名を問わずさまざまな人のさまざまな言動があふれていますので、それらの影響を受けたり、自分と誰かを比較して「私も頑張らなきゃ」などと焦りを感じたりすることもあるでしょう。私にもあります。

ですが、お釈迦様にとっての厳しい修行のように、周囲に影響された極端な行動（頑張り）が、自分にとっての正解とは限りません。ときには忙しい日常から少し離れて、自分に向き合う時間を作ることで、本当の道が開けることもあるはずです。

100 僧侶になって変わったこと、変わらないこと

「IT関連に強い士業で、資格取得大好き」という人間であった私が、新たに僧侶となって、何か変わったかといえば、生活上はあまり変わらないというのが率直なところです。出家して寺に住み込みというわけでもなく、生活は大きく変化しないので当然なのかもしれません。今までと変わらず、仕事も遊びもできています。浄土真宗では、食べてはいけないものとか酒を飲んではいけないといった戒律もありませんので、食事も飲酒も楽しんでいますし、表向きは何も変わらないといえるでしょう。

とはいえ、何も変わっていないわけでもありません。特に、**考え方に余裕が生まれた**と

思っています。

仏教では、基本的な考え方として、「人は人、自分は自分」とそれぞれ別個の存在と認識します。縁があってすれ違ったり同じ場所にいることはありますが、それも諸行無常の下では一時的なものとされます。

その上で、自分1人すら煩悩をなくすことができない、未熟な存在であるのに、他人をどうこう言える立場ではない、と考えるわけです。そのように認識することで、周囲に流されることなく、**自分が目指す生き方に向けて集中**できているように感じます。

このような自分の感覚を表現するのは難しいのですが、私の拙《つたな》い言葉で言えば、「特に何かが増えたわけではないけれど、基礎が掘り下げられて頑丈になった」という感覚でいます。

余談ですが、周囲との関係性でも、多少の変化がありました。

例えば、私が僧侶であることをお話すると、「自分も浄土真宗です」という風に、宗派の話が自然と出てきます。僧侶でもなければあまりそういった話にはなりませんから、深い話をしやすいというメリットがあるのかもしれません。

また、さまざまな仏事について相談を受けるようになりましたし、実際に葬儀などに関わる機会も出てきました。今までにない形でお役に立てるようになったのは嬉しい限りですが、僧侶としてはまだまだ力不足ですので、今後も勉強が必要だと痛感しています。

あとがき

資格ソムリエ＆デジタル士業＆僧侶としての、これから。

私は多くの資格を取り、そのおかげで独立して仕事することができています。さらには僧侶にもなって、これで終わりとなるかと思ったら、かえってやりたいことがいくつも出てきました。

まずは、仏教に馴染みの薄い一般の皆さんに向け、わかりやすく教えをお伝えしていくこと。これは僧侶としての務めでもありますが、実際に役立つ考え方でもあるので、ツールとしてでも役に立てていただきたいと思っているためです。幸いにも講演など人前でお話することが多いので、そういった機会なども活用して少しずつお話していきたいなと思っています。

次に、気軽に悩みを話せる場を作ること。私自身はさまざまな学びを通じて、悩める方々にも多く接してきました。仕事の悩みでも、家庭の悩みでも、悩みの多くは自分1人で抱え込んでしまうことに原因があります。フラッと寄れるカフェやバーのような場を作れたら素敵だな、と常々思います。そういった場に集まった人どうしで、新たなご縁が繋がることもあるでしょう。数年後には、そんな変わった事務所が生まれたらいいな、などと思っています。

最終的には、新しい形のお寺を作れないかな、とも考えています。寺院は近年、仏事のためだけに行く場所になっているかもしれません。しかしながら、寺子屋という言葉もあるように、古来から寺院には教育施設としての側面がありました。一定の広さがある寺院というのは、セミナー等の会場にもなりますし、コワーキングスペースとして人が集う場であっても良いのではないかと思います。他にも多彩な用途が考えられますし、本来はそうであったのではないでしょうか。「新しいようで、本来の形」という、現代のニーズに合致したお寺づくりに関わりたいなと考えています。

数々の資格を通じ、思いもよらない未来が見えてきました。これからも筆者自身は資格を取得していきますし、同じように学びを進める方のサポートをしていきたいと思っています。そして、1人でも多くの方に自分の人生を自由に歩んでいただき、世の中を少しでも良くするお手伝いがしたいのです。

もちろん、これらを進めるには、私１人の力では足りません。多くの方々と協力して行う必要があるでしょう。そういった方々とのご縁を期待しつつ、もちろん士業として、僧侶として、さまざまな面で自分を高める努力も怠らずに続けていかなければなりません（もし、なにかご一緒できそう、面白そうと思う方がいらっしゃいましたら、ぜひご遠慮なく、各種ＳＮＳ等からメッセージをいただけましたら幸いです）。

本書を最後までお読みいただき、ありがとうございました。

皆さんが生き生きと学ぶ姿を思い浮かべつつ、私も負けないように頑張ります。

どこかでお会いする機会があれば、遠慮なく声をかけてくださいね。

令和５年６月

林　雄次

著者略歴

林 雄次

1980年生まれ、東京都足立区出身。筑波大学附属高校卒業後、社会福祉を志し、淑徳大学にて社会福祉を学び社会福祉士の資格を取得。

卒業後はITを通じて多くの方に役立つべくIT関連企業で1000社以上の中小企業の業務改善に従事。

エンジニア教育の講師として多くの資格取得を経て、社労士・行政書士として「はやし総合支援事務所」開業。

本業では、中小企業診断士、社労士、行政書士、情報処理安全確保支援士等として企業向け支援を行いつつ、保有資格・検定は400を超え、「資格ソムリエ」としてさまざまなメディアで活躍中。

日本パラリンピック委員会 ハイパフォーマンスマネジメントチーム 情報・科学スタッフ
東京都社会保険労務士会 デジタル・IT化推進特別委員

保有資格（令和６年９月時点）

中小企業診断士／社会保険労務士／行政書士／社会福祉士／情報処理安全確保支援士／マンション管理士／管理業務主任者／宅地建物取引士／賃貸不動産経営管理士／キャリアコンサルタント／国内旅行業務取扱管理者／経営士／防災士／防災管理者／甲種防火管理者／相続診断士／統計調査士／システム監査技術者／ＩＴストラテジスト／プロジェクトマネージャ／ＩＴサービスマネージャ／情報セキュリティスペシャリスト／ネットワークスペシャリスト／データベーススペシャリスト／ソフトウェア開発技術者／基本情報技術者／情報セキュリティマネジメント／ＩＴパスポート／初級システムアドミニストレータ／ＤＸ推進パスポート１／kintone認定 カイゼンマネジメントエキスパート／kintone認定 アプリデザインスペシャリスト／kintone認定 アソシエイト／.com Master ADVANCE／.com Master BASIC／パソコン整備士検定２級／パソコン整備士検定３級／コンピュータサービス技能評価試験 情報セキュリティ部門／ＤＸアドバイザー検定 スペシャリスト／スマートフォン整備士検定３級／スマートフォン・モバイル実務検定／モバイル技術基礎検定／ワイヤレスＩｏＴプランナー検定／Ｇ検定／ＡＩ検定／ＡＩ・ＩｏＴ基礎検定／ＷＥＢライター検定３級／ドローン検定２級／ドローン検定３級／ドローン検定４級／インターネット ルール＆マナー検定／Ｐ検（Ｉ

CTプロフィシエンシー検定）　５級／パソコン能力評価試験パソコン・ネット操作部門４級／タイピング技能検定３級／タイピング技能検定４級／タイピング技能検定５級／タイピング技能検定６級／タイピング技能検定７級／タイピング技能検定８級／Microsoft Office Specialist Expert (Office 2019)／Microsoft Office Specialist Word 2019 Expert／Microsoft Office Specialist Excel 2019 Expert／Microsoft Office Specialist Associate (Office 2019)／Microsoft Office Specialist Word 2019／Microsoft Office Specialist Excel 2019／Microsoft Office Specialist PowerPoint 2019／健康経営アドバイザー／第一種衛生管理者／ビジネスマネジャー検定／ワークルール検定中級／ワークルール検定初級／人的資本経営検定BASIC／人事評価者検定初級／CSR検定４級／感染対策アドバイザー検定／緊急時避難誘導員／防災コンシェルジュ／eco検定／eco検SEEKER／CDA／心理相談員／メンタルヘルス・マネジメント検定Ⅱ種／メンタルヘルス・マネジメント検定Ⅲ種／メンタルケア心理士／メンタルケアカウンセラー／マスターケアストレスカウンセラー／青少年ケアストレスカウンセラー／高齢者ケアストレスカウンセラー／企業中間管理職ケアストレスカウンセラー／ケアストレスカウンセラー／こころ検定２級／こころ検定３級／こころ検定４級／心理カウンセリングスペシャリスト／メンタルヘルス・スペシャリスト／メンタルト

レーニングスペシャリスト／キャリアカウンセリングスペシャリスト／コミュニケーションスキルスペシャリスト／マインドフルネスコンサルタント／アンガーバランス・マネジメント／心理＆ＷＥＢカラーセラピスト／チャイルドコーチングマイスター／エニアコミュニケーション心理学アンバサダー／ナッジアドバイザー／ビジネスモデル鑑定士／販売士検定２級／販売士検定３級／統計検定３級／統計検定４級／ブランド・マネージャー３級／マーケティング検定３級／実践マーケティング力検定３級／ネットマーケティング検定／ｗｅｂマーケティングマスター／ＳＮＳマーケティング検定／ＳＮＳリスクマネジメント検定／初級ＳＮＳエキスパート検定／クラウドファンディング能力検定／欲求検定（ニーズマネジメント検定）／プレゼンテーション検定準２級／プレゼンテーション検定３級／プレゼンテーション検定準３級／通販エキスパート検定２級／通販エキスパート検定３級／通販エキスパート検定カスタマー・セントリシティ／ファイナンシャル・プランナー（ＡＦＰ）／ファイナンシャル・プランニング技能士２級／会計ソフト実務能力検定１級／日商簿記検定２級／日商簿記検定３級／日商簿記検定初級／日商簿記検定原価計算初級／こどものお金先生検定３級／銀行業務検定ＣＢＴサステナブル経営サポート（環境省認定制度　脱炭素アドバイザー　ベーシック）／銀行業務検定ＣＢＴ　ＤＸサポート／生命保険協会一般課程／金融リテラシー検定／知的財

産管理技能士検定２級／ビジネス実務法務検定２級／ビジネス実務法務検定３級／ビジネス実務与信管理検定３級／ビジネス著作権検定初級／ビジネスコンプライアンス検定初級／ビジネス事務検定／ビジネス文書検定２級／ビジネス文書検定３級／ビジネス・キャリア検定試験３級経営戦略スペシャリスト／ビジネス・キャリア検定試験３級マーケティングスペシャリスト／ビジネス・キャリア検定試験３級営業スペシャリスト／ビジネス・キャリア検定試験３級経営情報システムスペシャリスト／ビジネスメール実務検定３級／事務スペシャリスト／テレワーク検定／リモート実務検定３級／コンタクトセンター検定／在宅ワークスペシャリスト／ＱＣ検定４級／お客様対応専門員（ＣＡＰ）／秘書検定２級／秘書検定３級／サービス接遇検定２級／サービス接遇検定３級／ホスピタリティ接遇検定／医療ホスピタリティ接遇検定／福祉ホスピタリティ接遇検定／おもてなし学検定１級／おもてなし学検定２級／おもてなし学検定３級／ほめ達検定２級／ほめ達検定３級／営業力強化検定／判断力検定初級／人間力徳育検定中級／人間力徳育検定初級／社会人コンプライアンス検定／社会人ホスピタリティ検定〔実践〕／社会人ホスピタリティ検定〔基本〕／社会人常識マナー検定２級／社会人常識マナー検定３級／社会人常識マナー検定 Japan Basic／マナーインストラクター／マナー・プロトコール検定３級／実用マナー検定準３級／ビジネス実務マナー技能検定３級／ビジネス

マナーＷＥＢ検定／ソーシャルマナー３級／和文化マナー検定３級／きもの文化検定４級／令和のマナー検定／就活マナーＷＥＢ検定／異性間コミュニケーションアンバサダー／人間関係のストレス解消検定／礼法道アンバサダー／コミュニケーション検定上級／コミュニケーション検定初級／ハラスメントＷＥＢ検定／ニュース時事能力検定２級／ニュース時事能力検定準２級／ニュース時事能力検定３級／ニュース時事能力検定４級／日本語検定２級／日本語検定３級／日本語検定４級／日本語会話力検定／日本漢字能力検定３級／日本漢字能力検定４級／日本漢字能力検定５級／四字熟語検定１級／四字熟語検定準１級／四字熟語検定２級／四字熟語検定３級／四字熟語検定４級／敬語力検定準１級／敬語力検定２級／敬語力検定３級／敬語力検定４級／略語検定１級／略語検定準１級／略語検定２級／略語検定３級／ことわざ検定４級／ことわざ検定５級／英検３級／英検４級／みんなの外国語検定ブロンズ／数学検定４級／数学検定５級／理科検定３級／理科検定４級／理科検定５級／天文宇宙検定３級／天文宇宙検定４級／賃貸不動産メンテナンス主任者／普通自動車第一種運転免許／原動機付自転車免許／安全運転能力検定３級／安全運転能力検定４級／乙種１類危険物取扱者／乙種２類危険物取扱者／乙種３類危険物取扱者／乙種４類危険物取扱者／乙種５類危険物取扱者／乙種６類危険物取扱者／丙種危険物取扱者／第二級陸上特殊無線技士／第三級陸上特殊無線技

士／第二級海上特殊無線技士／第三級海上特殊無線技士／第三級アマチュア無線技士／第四級アマチュア無線技士／測量士補／潜水士／PADIアドバンスオープンウォーターダイバー／PADIディープダイバー／PADIオープンウォーターダイバー／PADIドルフィンスキンダイバー／PADI AWAREサンゴ礁の保護／PADIデジタルアンダーウォーターフォトグラファー／サービス介助士／防災介助士／認知症介助士／スマート介護士初級／終活ガイド２級／終活ガイド３級／終活ライフコーディネーター／ジェロントロジー・マイスター／ジェロントロジー検定／ウェルエイジングBasic／福祉住環境コーディネーター２級／福祉住環境コーディネーター３級／健康介護コンシェルジュ／共生社会コミュニケーション検定／ケア・コミュニケーション検定／ユニバーサルマナー検定３級／おひとりさま検定／キッズコーチ検定３級／予防医療検定／予防医療アンバサダー／上級救命技能／スポーツ医学検定２級／スポーツ医学検定３級／スポーツ医学検定初級／ピンクリボン検定入門コース／グリーンリボン検定／リンパケア検定２級／口腔ケアアンバサダー／歯みがき検定マイスター／歯みがき検定１級／歯みがき検定２級／歯みがき検定３級／メディカルハーブ検定／メディカルハーブコーディネーター／ハーブ＆ライフコーディネーター／ハーブ＆ライフ検定／アロマ＆ケアスペシャリスト／アロマテラピー検定１級／アロマテラピー検定２級／環境カオリスタ検定／ナ

チュラルビューティスタイリスト検定／スローライフマイスター検定／ラジオ体操指導員／日本健康マスター検定エキスパート／日本健康マスター検定ベーシック／健康管理検定２級／健康管理検定３級／空気環境アドバイザー／食生活アドバイザー３級／食育栄養コンサルタント／食育イノベーター／食品衛生責任者／食品表示検定試験初級／食育フードテック検定／食の検定３級／食の検定４級／良食検定／イートライトサポーター／栄養検定３級／栄養検定４級／薬膳漢方マイスター／薬膳・漢方検定／漢方マニア検定／アレルギースペシャリスト／腸活腸育ライフアンバサダー／温活検定３級／入浴検定／高齢者入浴アドバイザー／睡眠健康指導士／睡眠検定１級／睡眠検定２級／睡眠検定３級／睡眠検定入門／睡眠コンサルタント／ダイエット検定１級／ダイエット検定２級／筋肉のこと知ってますか検定３級／筋トレスペシャリスト／整体＆セラピースペシャリスト／骨格診断アドバイザー検定３級／姿勢診断士５級／色彩検定２級／色彩検定３級／色彩検定ＵＣ級／色彩士検定４級／カラーマスターデジタル検定ゴールドクラス／パーソナルカラー実務検定３級／美術検定４級／日本化粧品検定３級／化粧品成分検定３級／メンズメイク検定３級／コスメマイスター／コスメマイスター・ライト／スキンケアマイスター／スキンケアスペシャリスト／ＵＶ検定ライト／整理収納アドバイザー２級／デジタル整理アドバイザー２級／ライフオーガナイザー２級／片付け収納

スペシャリスト／クリンネスト３級／お掃除プロフェッショナル／掃除能力検定２級／掃除能力検定３級／掃除能力検定４級／掃除能力検定５級／洗濯検定上級／洗濯検定中級／洗濯検定初級／ガーデニングコンシェルジュ／うつわ検定ホームユースうつわマスター／箸ソムリエベーシック／レザーソムリエBasic／靴磨き知識検定／スニーカー検定３級／ふろしき＆手ぬぐいマスター検定／道化文字☆モジスト／ペット看護＆セラピーエキスパート／生物分類技能検定４級／いぬ検定初級／ねこ検定初級／サウナ・スパプロフェッショナル／サウナ・スパ健康アドバイザー／サウナエキスパート／サウナ・スパ健康士／ウィスキング for ビギナーズ／温泉健康指導士／温泉ソムリエマスター／温泉ソムリエ／銭湯検定４級／日本の宿おもてなし検定２級／日本の宿おもてなし検定３級／山の知識ＷＥＢ検定ゴールドコース／山の知識ＷＥＢ検定シルバーコース／山の知識ＷＥＢ検定ブロンズコース／初級バーベキューインストラクター／晴れ男・晴れ女検定／日本城郭検定オンライン入門級／夜景観光士検定３級／世界遺産検定２級／世界遺産検定３級／世界遺産検定４級／無人島サバイバル検定／船の文化検定初級／文化浴入門検定／全国道の駅検定／東京シティガイド検定／東商ねりマニア検定上級／東商ねりマニア検定初級／名古屋観光検定上級／名古屋観光検定初級／京都検定３級／福岡検定初級／軽井沢ＷＥＢ検定３級／検定「お伊勢さん」初級／エイサー検定１級／エイ

サー検定２級／エイサー検定３級／渋沢栄一検定初級／土方歳三・箱館戦争検定／ハワイスペシャリスト検定中級／ハワイスペシャリスト検定初級／J.S.A.ワインエキスパート／J.S.A.ワイン検定シルバークラス／J.S.A.ワイン検定ブロンズクラス／J.S.A.SAKE検定／ANSAソムリエ／ワイン品質鑑定士／ワインマイスター／ワイン検定３級／ワイン検定４級／ワイン検定５級／ワインナビゲーター／オーガニックワインアンバサダー／モルドバ アグリ＆ラダチーニ ワインマスター／日本酒スペシャリスト／日本酒検定３級／日本酒検定４級／日本酒検定５級／日本酒ナビゲーター／焼酎検定３級／焼酎検定４級／焼酎検定５級／ウイスキー検定２級／ウイスキー検定３級／カクテル検定３級／カクテルマイスター／日本ビール検定２級／日本ビール検定３級／日本茶検定１級／日本茶検定２級／日本茶検定３級／日本茶スペシャリスト／茶道文化検定３級／茶道文化検定４級／紅茶アナリスト／紅茶検定初級／コーヒースペシャリスト／料飲サービス検定／スポーツフードスペシャリスト／機能性フード検定／介護食コンサルタント／発酵検定／さしすせそ調味料検定／料理検定２級／料理検定３級／菓子検定２級／菓子検定３級／家庭料理検定４級／家庭料理検定５級／野菜マエストロ検定（野菜アンバサダー）／野菜＆果物コンシェルジュ／チョコレート検定中級／チョコレート検定初級／プレチョコレート検定／チーズソムリエ／チーズ検定／ヨーグルト検定／す

し検定／パンシェルジュ検定初級／カレーパン検定（カレーパンタジスタ）／日本ラーメン検定初級（ラーメニスト）／おにぎり検定（オニギリスト）／焼き鳥検定（焼き鳥アンバサダー）／唐揚検定（カラアゲニスト）／串カツ検定（串カツマイスター）／フライドポテト・アンバサダー検定シルバー／フライドポテト・アンバサダー検定ブロンズ／あんこ検定／タマリエ検定「二ツ星タマリエ」（ゴールド、シルバー、ブロンズ）／レモン検定／さば検定／だしソムリエ初級／昆布検定／風水＆パワーストーンコンサルタント／パタゴティタン・マヨルム検定／実用技能しか犬定／謎解き能力検定７級／フォトマスター検定３級／学び直し＆独学アンバサダー検定／集中力検定／ゾーン検定／聖書検定３級／聖書検定４級／聖書検定５級／神社検定参級／神社検定初級／葬送儀礼マナー検定２級／仏教葬祭アドバイザー／日本仏教検定２級／日本仏教検定３級／僧侶

資格が教えてくれたこと

400の資格をもつ社労士がみつけた
学び方・活かし方・選び方

令和5年 9月 1日　初版発行
令和6年11月 1日　初版3刷

検印省略

日本法令®

〒101-0032
東京都千代田区岩本町1丁目2番19号
https://www.horei.co.jp/

著　者　林　雄次
発行者　青木鉱太
編集者　岩倉春光
印刷所　丸井工文社
製本所　国宝社

（営　業）　TEL　03-6858-6967　　Eメール　syuppan@horei.co.jp
（通　販）　TEL　03-6858-6966　　Eメール　book.order@horei.co.jp
（編　集）　FAX　03-6858-6957　　Eメール　tankoubon@horei.co.jp

（オンラインショップ）　https://www.horei.co.jp/iec/
（お詫びと訂正）　https://www.horei.co.jp/book/owabi.shtml
（書籍の追加情報）　https://www.horei.co.jp/book/osirasebook.shtml

※万一、本書の内容に誤記等が判明した場合には、上記「お詫びと訂正」に最新情報を掲載しております。ホームページに掲載されていない内容につきましては、FAXまたはEメールで編集までお問合せください。

ISBN 978-4-539-72992-2